知的生きかた文庫

40歳からは食べ方を変えなさい！

済陽高穂

三笠書房

はじめに

済陽式食習慣——体と心が若くなる食べ方

「時計の針」が時を刻むように、「老化時計の針」も少しずつ進んでいきます。

ただ、時間の流れと違い、老化時計の速度をゆるめたり、「針を逆回し」にすることはけっして不可能ではありません。それを可能にするのが「食習慣」です。


40歳からは、「体に必要な食べ物」がガラッと変わります。


30代までは、体が成長・発達する段階。ごはんを中心とした炭水化物、つまり、糖質が一番必要とされるため、大量にごはんを食べても問題はありません。

ところが、成熟期に入る40代からは別です。エネルギーをつくり出す仕組みが変わるため、30代と同じように、糖質を中心とした食事をしていると、重大な弊害が起きてしまいます。

それが、「代謝の低下」です。食事で摂った栄養を十分に活用できなくなるのです。

食が細くなったり、お腹周りの脂肪が気になりだしたり、ちょっと駅の階段をのぼっただけで、息切れするようになったり……。

いずれも代謝の低下が招いた「老化現象」です。放っておくと、体の中がどんどんさびつき、やがては、脳卒中、心疾患、糖尿病、ボケ、骨粗鬆症《こつそしょうしょう》、ガンといった、「人生を壊す病」を引き起こすことになります。

40歳からは、**「年齢に応じた食べ方」**をする必要があるのです。

外科医として畑違いの食事療法の研究を始めてから、20年の歳月が経ちました。手術だけではガンは完治しないことに悩んだ私が、何とか治せないかという切実な思いでたどり着いた方法、それが「済陽式食事療法」です。

その結果は、私自身も驚くほどの効果が見られました。ほかの医療機関で見放された多くの患者さんを治癒・改善に導くことができたからです。健康な人が病気予防として取り組めば、一層効果的だと思います。

本書では、その食事療法を土台に、40歳から**代謝のいい「若い体をつくる」食習慣**を紹介します。厳しい制限は何もありません。

私が選んだ「**30品目の食材を、週に2～3回食べるだけ**」という簡単な方法です。

さらに、30品目の食べ合わせ方しだいで、さまざまな効能を期待できます。

・「薬食い」鮭＋「野菜の王様」ブロッコリー→「若い体をつくる」最強食！

・「医者いらず」りんご＋「黄金の滋養食」蜂蜜→免疫力アップで体イキイキ！

・「畑のミルク」ぶどう＋「発酵乳」ヨーグルト→抗加齢の「強い体」になる！

などなど、私が長年の研究成果から導き出した「40歳からの体を支える」最善の食べ方・食べ物をわかりやすく紹介していきます。

人生とは、「1食1食の積み重ね」です。「何を、どのように食べたか」が、あなたの体をつくり、あなたの健康、そして、人生を左右するのです。

年齢を重ねる時計は進んでも、老化時計は逆に回せます。

あなたの人生が、晴れ晴れと充実した時を刻んでいくものと確信します。

済陽《わたよう》高穂《たかほ》

『40歳からは食べ方を変えなさい！』◆もくじ

1章　40歳からの食べ方が、これからの人生を変える

2章 体の「糖化を防ぐ」食べ方から始めよう！

3章　「体を温める」食、「腸をきれいにする」食

4章 「7色の野菜パワー」で体の毒を捨てよう!

5章 「血管年齢」が10歳若くなる食べ方

編集協力――㈱プロースト
本文DTP――川又美智子

1章

40歳からの食べ方が、これからの人生を変える

40歳から「老化に勝つ」一番確実な方法

太りだした、疲れやすくなった、よくかぜをひくようになった――。

人生後半に入る40歳前後を境にして、それまで健康だった人も、体に不調や変化が表れだします。

体は、**40歳前後から、代謝が急激に下がります**。代謝は、栄養素を効率よく消化・吸収したり、エネルギーを生んで消費したり、内臓や筋肉、皮膚、血液、ホルモンをつくったり、古くなった細胞を新しい細胞へと生まれ変わらせたりする働きです。

代謝が低下すると、体のさまざまな働きも衰えていきます。息切れ、動悸《どうき》、抜け毛、白髪、肌荒れ、視力低下といった老化現象が生じるのです。

さらには、体内環境が「生活習慣病の温床」に変わります。脳卒中、心疾患、ガン、認知症、骨粗鬆症《こつそしょうしょう》、そして糖尿病といった、いわば「人生を壊す病」の発症危険率《リスク》が高まってしまいます。

太りだした、疲れやすくなった、よくかぜをひくようになった、という症状は、いずれも代謝低下による老化現象です。しかも、「たかが中年太り」「たかが疲れ」「たかがかぜ」と侮《あなど》れるものでなく、**人生を壊す病を呼び込みやすい体質に変わりつつある兆候**なのです。

中年太りは高血圧、高血糖、高脂血（脂質異常）などメタボ（メタボリックシンドローム）の要因が潜《ひそ》んでいる体のこと。メタボとは「代謝がくずれた状態」です。疲れやすく、かぜをひきがちな体は、免疫力の低下を表しています。免疫力は、病気を撃退する力ですが、40代になると、20歳ころのピーク時に比べて半減します。とくに、よくかぜをひくようになったら要注意。「かぜをひきがちな体＝ガンが発症しやすい体」とも言えるからです。ガンは、免疫力の低下で引き起こされる代表的な病気なのです。

代謝の低下は誰にも起こることですが、飽食・偏食、過度の飲酒、喫煙、運動不足、不規則な睡眠、ストレスなどの生活習慣がいちだんとその速度を上げます。とりわけ、食の不摂生の影響が大きくかかわっています。

・食事時間が不規則。
・ごはん、麺、パンなどの糖質を中心にした食事をよくする。
・ごはんなどの主食から食べることが多い。

こんな食習慣が1つでもあれば、代謝はどんどん落ちていきます。放っておくと年齢以上の老い、そして病気を招きます。

しかし、こうした食習慣を改めれば、代謝低下が抑えられるだけでなく**20代、30代の「代謝力」、つまり「若さが取り戻せる」**のです。

「代謝の低下は、生命活動の停滞」――。代謝のいい若い体は、毎日の食事でつくられます。気ままな食習慣を改めることで、40歳からの体が甦《よみがえ》るのです。

これが、40歳から「老化に勝つ」3大食材！

りんご

「りんご医者いらず」と
呼ばれる万能食材！
老化、肥満予防に
絶大な効果が！

レモン

強力な「抗酸化力」で
40歳からの体を
若返らせる！

ぶどう

「畑のミルク」――。
1粒食べるたび、
「体のさび」がきれいに！

まずは、「体の糖化」に気をつけよう

代謝のいい「若い体」をつくる条件は5つです。

1、「体の糖化」を防ぐ
2、「塩害」を防ぐ
3、「冷え」を取る
4、「腸の汚れ」を落とす
5、「体内毒素」を消す

この5つの条件は、体内環境を好転させて、人生を壊す病から体を守る食習慣の

基本でもあります。改めて各章で詳しく説明していきます。ここでは、概略を簡単に述べておきます。

「体の糖化」は、老化を早める大きな要因になります。

ごはんなどの糖質の摂りすぎと、代謝の低下で血液中にあふれた糖（血糖）は、体内のたんぱく質と結合します。その際に、たんぱく質が変質することがあります。これが「糖化」です。

細胞、ホルモン、酵素など体の構造や機能にかかわる大切な物質の多くはたんぱく質でできています。糖化によって、これらの働きがうまくいかなくなるのです。「糖化」を防ぐためには、主食のごはんのコントロールが、とても重要になります。

体内では、カリウムとナトリウム（塩分）が一定の濃度でバランスを保ち、代謝などの細胞の機能を正常化します。ところが、**塩分を過剰に摂取すると、このミネラルバランスがくずれ、代謝異常の原因になる**のです。

塩害から体を守るためには、カリウムが豊富な野菜を積極的に摂《と》ることです。

体の冷えも、代謝の低下によって起こります。**代謝の低下は、体温低下を常態化**

させ、冷え性の原因となるのです。

体が冷えると血管が収縮し、血流が悪くなります。血流の悪い体は、免疫を司《つかさど》る白血球の一種であるリンパ球の働きを弱めてしまいます。

栄養バランスのよい食事を摂ることで、代謝が上がって、免疫力も高まります。ビタミン、ミネラルの宝庫である野菜や肉、魚などのたんぱく質が代謝を盛んにし、免疫力を高めるのに効果的です。

免疫力は、腸内環境の状態に大きく左右されます。

小腸には、全身の免疫細胞の6～7割が集中しています。腸内には体に有用な善玉菌（乳酸菌、ビフィズス菌など）と、害を及ぼす悪玉菌（大腸菌、ウェルシュ菌など）の2種類の腸内細菌が存在しています。

腸内環境は2つの腸内細菌のバランスによって保たれています。たとえば、便秘になると、悪玉菌が増えて免疫力を低下させます。

善玉菌は、食物繊維や乳酸菌を餌にして増殖します。**野菜、果物、発酵食品、ヨーグルトを積極的に摂ることで、腸内環境が良好に保たれる**のです。

40歳から「若い体をつくる」5箇条

この5つのポイントに
気をつけよう！

1.「体の糖化」を防ぐ

炭水化物と上手につき合おう！

2.「塩害」を防ぐ

「おいしい野菜・果物」を
たくさん食べよう！

3.「冷え」を取る

鶏肉、青魚、鮭、卵――
良質のたんぱく質を摂ろう！

4.「腸の汚れ」を落とす

発酵食品、乳製品を摂って、
善玉菌を増やそう！

5.「体内毒素」を消す

「7色の野菜パワー」でデトックス！

老化を早める要因には、「体内毒素」もあります。「活性酸素」と呼ばれる毒素や、食品添加物、魚介類に含まれる水銀やヒ素、農薬などの有害物質です。これらの有害物質も、活性酸素を発生させます。

体は食事で摂った糖質や脂肪に呼吸で取り入れた酸素を反応させて、活動源となるエネルギーをつくります。「酸化」という燃焼です。この過程で酸素のおよそ2パーセントが活性酸素に変わります。いわば、「燃えかす」が残ってしまうのです。

活性酸素は、病気の9割にかかわっています。活性酸素が過剰に発生し続けると、細胞や器官を傷つけてその働きを弱めてしまいます。この状態が「酸化ストレス」で、老化の原因となります。

酸化ストレスは、肝臓や腎臓の疾患、歯周病、冷え性、便秘などさまざまな生活習慣病との関係も明らかになっています。

また、**血糖値が高いと活性酸素が増え、DNA（遺伝子の本体）を傷つけてガン化につながります**。

活性酸素から体を守るには、野菜や果物、納豆などの発酵食品を摂ります。これらの食材に豊富なビタミンや、赤ワインでおなじみのポリフェノールなどの抗酸化物質が活性酸素を無毒化し、除去してくれるのです。

野菜は、解毒（デトックス）食材としても、きわめて有効です。

病気は生活習慣と深いかかわりを持ちます。とりわけ、よい食習慣を持つことは、病気のリスクを低減させるための重要な第一歩になるのです。

よい食習慣は、シンプルな食の営みから生まれます。

40歳からは「体に必要な食べ物」が変わる！

40代になると、「体を支えるエネルギー源」が切り替わります。

多くの人は30代まで、エネルギー源をごはんなどの糖質に依存しています。

ところが、40代になると、脳と体に必要な栄養素が質・量ともに変わります。

糖質依存の食習慣は体とミスマッチを起こすようになり、代謝異常の原因となるのです。ここに、**「40代からは食べ方を変える」最大の理由**があります。

自動車にたとえると、30代まではレギュラーガソリンを使う車で、40代からはハイオクガソリン仕様に変わるのです。ハイオク仕様の車にレギュラーガソリンを注入すれば、エンジンが異常燃焼を起こし出力も燃費も悪くなってしまいます。

実際にはこんな車はありませんが、人間の体はハイオクをエネルギーにするエンジンと、レギュラーからエネルギーを得るエンジンの2つを搭載しています。それぞれがメイン、サブとなって最適なパフォーマンスを発揮します。

2つのエンジンは、ともに細胞内にあります。ハイオク仕様にあたるのは「ミトコンドリア」という細胞小器官で、レギュラー仕様のそれは細胞質が担《にな》います。**「ミトコンドリア系」「解糖系」**と称される仕組みです。

ミトコンドリア系は、糖質をおもにして脂肪、たんぱく質の3大栄養素にビタミン、ミネラルを材料にします。特徴的なのは、酸素も用いることです。**解糖系のおよそ18倍の効率でエネルギーをつくり出す**ため、食事は少量ですみます。酸素が十分に行きわたった温かい体、低血糖の環境下で活発化します。

ミトコンドリア系のエネルギーは、仕事など持続性、安定性を必要とする際に使われます。マラソンやジョギングで消費されるのも、このエネルギーです。休むことなく働き続ける脳や心臓をはじめとした臓器、細胞などに供給されます。

一方、**解糖系は、大量の糖質だけを材料にします**。ごはんやパン、いも類など、でんぷん主体の糖質を食事でたくさん摂る必要があります。酸素が少ない冷えた体、高血糖の体内環境で活発化します。

解糖系エネルギーは、「さあ、がんばろう」と気合を入れるときや短距離走など即効性、瞬発力が求められる際につくり出されます。

幼年・少年期の体は、解糖系エネルギーで細胞分裂が繰り返されて成長していきます。筋肉、皮膚、神経、赤血球、精子など分裂が盛んな細胞の活動源なのです。

分裂を繰り返して成長・増殖するガン細胞も、やはり解糖系エネルギーを大量に必要とします。

このように、**成長期には解糖系がメインになって働き、人生後半になると逆にミ**

トコンドリア系が重要な役割を担います。

40代になっても、旺盛な食欲、ごはんやパン、甘いものなどの糖質依存の食習慣を続けていると、解糖系（レギュラーガソリン仕様）から、ミトコンドリア系（ハイオクガソリン仕様）への切り替わりがうまくいかなくなります。

解糖系エネルギーが主体になった体は、免疫力が低下してガン細胞の成長・増殖を促します。また、血管系疾患や糖尿病を引き起こしやすくなるのです。

ミトコンドリア系への切り替えがうまくいけば、体が高体温となり、血糖もコントロールされた健康状態を保つことができます。ガンや糖尿病など人生を壊す病から体を守れます。だからこそ、ミトコンドリア系エネルギーが重要なのです。

ミトコンドリアは、1つの細胞に1個から数千個存在します。40歳前後になると、食習慣の乱れや運動不足などによって減少していきます。

ただ、**ミトコンドリアは、何歳になっても簡単に増やすことができます**。食事の前に適度な空腹の時間を持ったり、入浴で体を温めたり、ウォーキング、背筋伸ばし、1分間片足立ちなどの軽い運動を続けるだけで効果があります。体がエネルギーを必要とする状態をつくれば、ミトコンドリアは増えていくのです。

ミトコンドリアの増加は、代謝を高める必要条件です。

りんご、納豆、じゃがいも……私がすすめる30品目

では、「何を、どう食べればいい」のでしょうか?

かつては、「1日に30品目の食品」を摂るよう、厚生労働省が推奨していました。

ところが、「食べすぎ」という逆効果を招いてしまい、今では食品数よりも「主食・主菜・副菜を基本に多様な食材を組み合わせる」ことが重視されています。

「1週間で30品目」——。私が推奨する「40歳からの体を支える日常食」の数です。

穀類、肉、魚介、野菜、種実、果物、豆、きのこ、いも、海藻、卵、乳製品、油脂、飲料、調味料の15種の食材群から選びます。それぞれの食材の「栄養の個性」

種類	品目	糖化を防ぐ	塩害を防ぐ	冷えを取る	腸の汚れを落とす	体内毒素を消す
果物	りんご		○	○	○	○
	レモン			○		○
	ぶどう					○
豆	納豆		○	○	○	○
	大豆			○		○
きのこ	椎茸			○		
いも	じゃがいも		○	○	○	
海藻	昆布		○		○	
卵	鶏卵			○		○
乳製品	ヨーグルト			○	○	○
油脂	オリーブ油				○	○
	ゴマ油			○		○
飲料	緑茶					○
調味料	蜂蜜			○	○	
	酢			○		○

※特徴的な効用のみを掲載。

アボカド,

40歳からの「体を支える」30品目

種類	品目	糖化を防ぐ	塩害を防ぐ	冷えを取る	腸の汚れを落とす	体内毒素を消す
穀類	白米			○	○	
	玄米	○		○	○	
肉	牛・豚			○		
	鶏			○		
魚介	鮭			○		○
	青魚			○	○	○
	牡蠣		○	○		
野菜	大根	○	○		○	○
	にんにく		○	○		
	トマト	○			○	○
	ブロッコリー	○	○		○	○
	にんじん		○		○	○
	キャベツ	○			○	○
	玉ねぎ	○			○	○
種実	ゴマ			○		○

※週に2～3回を摂れば日常食とする。

が相乗効果となり、**40歳からの体を甦らせる**のです。

毎日摂りたい食材もありますが、基本は週に2～3回程度の摂取があれば日常食とします。同じ食物でも食べ方しだいで薬にもなれば毒にもなる場合もありますから、なかには3回以下に制限する食材があります。

30品目の日常食を食習慣の核にし、これらに多種多様の食材を組み合わせることで、人生後半の体に不可欠な栄養素が効率よく摂取でき、代謝の正常化もはかれるのです。各食材については、効能をはじめとして次章以降で取り上げていきます。

「老けない、太らない、病気にならない」済陽式食習慣

40歳から「若くなる食べ方」には、3つだけルールがあります。

①「1日3食」を、できるだけ同じ時間に摂る
②「40歳からの日常食」30品目を中心に、栄養素を質量ともにバランスよく摂る
③「食べる順番」を守る

たった3つのルールですが、実行すると**早い人だと1週間で体に変化が現れます**。たとえば、疲れが溜まりがちだった人も、一晩、睡眠を取れば体が軽くなるといったことが実感できます。

本書では、40歳から「若くなる食べ方」を**済陽式食習慣**と称します。

私は消化器外科医として40余年にわたり、およそ2000例にも及ぶガン手術を行なってきました。その経験から、ガンになる人には、「肉食中心、野菜不足、塩分過多」といった共通の食習慣があることがわかりました。

「ガンは食習慣の問題。食事で体質を変えると治る」と考え、20年前から食事療法の研究を続けてきました。その成果が、今あるガンを消す「済陽式食事療法」です。

済陽式は、簡単に言えば代謝を上げる療法で、8つの決まりがあります。

①塩分制限——かぎりなく無塩に近づける
②動物性たんぱく質と脂肪を制限する
③野菜、果物を大量に摂る
④主食は玄米や胚芽米にし、いもや豆類も摂る
⑤ヨーグルト、きのこ、海藻を摂る
⑥蜂蜜、レモン、ビール酵母を摂る
⑦油はオリーブオイル、ゴマ油、ナタネ油にする
⑧自然水を飲む

「今あるガン」の治療としての済陽式は、患者さんがガン体質から脱却することが目的ですから、半年から1年を目途に8つの決まりを厳守するよう指導します。期限がきたらその後は徐々にゆるめていき、制限はあるものの牛や豚の肉も食べられるようになります。要は、その間に免疫力や人間が本来持っている自然治癒力

を高めて、**病気に負けない強い体につくり変えていく**のです。

指導を始めて10年あまりですが、治療実績は300例を超えています。ほとんどが晩期ガンを含めた進行ガンで、約半数が医療機関で手術のほどこしようがないとされたものです。

再発や離れた部位への転移（遠隔転移ガン）などが、約4割もあります。総計で6割半ばの有効率を上げています。

食事療法が奏功しやすい乳ガンや前立腺ガン、悪性リンパ腫は7〜8割の確率で病巣が消えています。

済陽式食習慣は、この食事療法を土台にしています。

ガンは生活習慣病ですから、済陽式食習慣は糖尿病やメタボなどほかの生活習慣病の改善・解消にもいちじるしい効果を上げます。体内環境が大きく変わる40代以降の食の営みにかなう食習慣で、「**病気を防ぐ・消す食事法**」でもあるのです。

そのほど、詳しく説明しますが、簡単でゆるやかな方法をすすめています。そのほうが長続きしやすく、自然と習慣になるからです。

朝食だけは「同じ時間に摂る」

体は、「体内時計」の働きで食事のリズムを記憶します。

体内時計は、朝になると目覚めて夜になると眠くなるように、時間の変化に合わせてさまざまな機能を絶妙に調節する仕組みです。

食事は毎日、朝昼夕の3食を規則正しく摂ります。

朝日を浴びると、1日を始める体のスイッチが入ります。決まった時間に摂る朝食の刺激で、胃や腸、肝臓などさまざまな器官が正常に動きだすのです。朝日と朝食がセットになることで、体の仕組みは最適なリズムを刻みます。とくに、朝食は大事です。朝食を摂らないと血糖値が上がりやすくなり、基礎代謝も低下します。

基礎代謝は、代謝のなかでもダイエットでよく知られています。ご存じのように、呼吸や体温の調整など、根源的な生命活動を維持するのに必要な最小のエネルギー消費です。

基礎代謝が維持されるからこそ、寝ているときでも心臓が動き、脳も働き、血液も体内をめぐり続けます。基礎代謝は、生命活動そのもの。基礎代謝の低下は中年太り、慢性疲労、かぜの原因でもあるのです。

朝食を抜いて空腹時間を長くしてしまうと、昼食や夕食の量が多くなり、その分、腹持ちのよい糖質の摂取が増えます。長時間の空腹後の体では、乾いた砂が水を一気に吸い込むように、糖の吸収が進みます。

基礎代謝は、食事の質量に応じます。体は、食事からの摂取エネルギー量が減れば、少ないエネルギー量に見合った生命活動を営みます。つまり、体力が落ちてしまうのです。

昼食は、朝食から最低でも4時間はあけて摂ります。

日中は活動量が増えますから、しっかり食べてエネルギー源を補給しましょう。

正午ころに昼食をしっかり摂ったとしても、夕食まで間があります。3時間もすると小腹がすきますから、このタイミングでおやつを食べます。

私は買い置きのバナナやマンゴーといった果物、あるいはプルーンなどのドライフルーツ、ナッツ、干しいもを口にします。

乾物の小魚も、おやつに適した食材です。

果物に含まれる果糖は、即効性のあるエネルギー源になります。疲れているときや激しい運動をした後に食べると、**果糖がすぐにエネルギー源として使われ、疲労回復におおいに役立ちます**。

「3時のおやつ」には、合理的な理由があります。昼食から3時間も経つと、体に摂り込まれた栄養素は消費されてしまいます。

このタイミングでおやつを食べれば、栄養素の補給を待つ細胞に新鮮な栄養素を行きわたらすことができるのです。

どうしてもスイーツが食べたいときもあるでしょう。そんなときは、食べる前に、食物繊維のサプリメントを摂るようにします。食物繊維には、糖と脂肪の吸収を抑える効果があるのです。外出時に携帯しておくと便利です。

夕食は、夜8時までにすませるのが理想。遅くても、9時までには終えます。夜は、体をつくる時間帯です。胃腸の機能が高まり、食事で摂った栄養素は体内に十分、吸収されます。寝ている間、成長ホルモンの働きで代謝を活発化する筋肉がつくられたり、日中に傷ついた細胞が修復・再生されたりします。

ところが、夜遅くまで食べていると消化が優先され、栄養素の吸収が十分に行なわれなくなります。

また、成長ホルモンは血糖値が上がっていると分泌が抑えられます。飲食後すぐの就寝は、血糖値が上がったままの状態で眠りにつくことになり、代謝を妨《さまた》げてしまうのです。

夕食後、3~4時間は間をあけ、**小腹がすいたころに寝る習慣を持つと、体はリフレッシュして疲れが抜けやすくなります**。

昔から「1日3食がよい」と言われていますが、この習慣によって代謝がスムーズに行なわれます。そして、健康的な体のリズムがつくられ、栄養素はほどよく全身に行きわたります。「1日3食」には、こうした「ワケ」があるのです。

「朝の納豆」が体をリセットする

食事はやはり和食が望ましく、基本は主食、主菜、副菜の組み合わせです。

主食は、ごはん（白米、玄米、胚芽米）。

主菜は、たんぱく質、脂肪が豊富な肉や魚、または卵、豆腐。

副菜は2品で、1品は必ず野菜にします。

みそ汁を加えると、和食の伝統的な基本形である「一汁三菜」の食卓になります。

必要な栄養素とカロリーを、バランスよく摂れる食事でもあるのです。

毎食、この基本の食卓にこだわる必要はありません。ただ、洋食や中華はどうしても一皿盛り、丼物になりがちで、バランスよく栄養素を摂るには難点があります。

また油を多く使いますから、高カロリーとなります。

洋食、中華はあわせて週2〜3回に留めておきたいものです。

朝食はでんぷん質の多いごはんをメインにして、主菜と副菜からたんぱく質を摂ります。脂肪は、少なめにするのが基本です。

でんぷんには、食物繊維が豊富です。**食物繊維は発酵食品の納豆との相性が抜群**で、納豆に含まれる酵素の働きとあわさって腸を整え、排泄力を高めます。

酵素はおもにたんぱく質を成分にして、消化や呼吸などあらゆる生命活動にかかわっています。

ごはんと、たんぱく質やビタミンB群、酵素を含む納豆の組み合わせは、**日本人の知恵が込められた伝統的な朝食**なのです。

糖と一緒にたんぱく質を摂ると、脳や体にその日を快適に過ごすためのスイッチが入り、体のさまざまな機能がリセットされます。

白米は精製されているため、ビタミン群などの栄養素が不足します。その足りない栄養素を、納豆が補ってくれるのです。精製は、食べにくい部分や見た目の悪い部分を取り除き、純度の高い製品にすることを言います。この部分に、ビタミンB

群やミネラルが豊富なのです。

ビタミンB1は、糖質からのエネルギー産生を助ける働きがあり、代謝をスムーズに保つのに欠かせない栄養素です。ビタミンB2は、脂肪をエネルギーに変える際に必要な栄養素です。

ビタミンB群は体内に溜めておけないので、毎日、食事でこまめに摂らなくてはなりません。

「朝、昼、夕の食事バランス」を変えてみる

食習慣で正したいのが、昼食と夕食の常識です。

一般に、昼食は軽視されがちです。とくに男性は、仕事が忙しいからと、糖質主体の丼物や一皿盛りの食事に偏《かたよ》る傾向があります。

しかし、こうした食事は必要な栄養素が体に行きわたらず、また十分なエネルギー補充にもなりません。栄養素が偏り、かえって体に負担を強《し》いる食事になるのです。日中はバリバリ活動するために、たんぱく質をメインに栄養バランスのよい食事を摂ってエネルギー源を補充します。脂肪の多い食材も、昼食で摂ります。3食のなかで、質量ともっとも重視します。

一方、夕食は逆に重視しすぎる傾向があります。1日3食のうち、夕食で一番ボリュームのある食事をする人がほとんどでしょう。

ところが、ここに代謝不良に陥《おちい》る原因があります。

夜は吸収効率のよい時間帯ですから、体は太りやすくなっています。

夕食後の活動量はきわめて少なく、あとは寝るだけです。過剰に摂り込んだ栄養素は使いきれずに、体脂肪として溜め込まれてしまうのです。

夕食では糖質と脂肪、そして全体のボリュームを少なめにする必要があります。たんぱく質と、食物繊維を多く含む野菜などの食材をメインにするほうがいいでしょう。

私の1日の食事は、朝食を重視しています。朝からフル稼働する必要があるからです。

7時ころから、**野菜・果物ジュース**で始まります。ごはんにみそ汁、ポーチドエッグ、じゃがいも料理、ヨーグルト、大根おろしが定番。

ごはんは飽きないように、白米、発芽玄米、雑穀米をローテーションにして摂っています。**白米の日は、必ず納豆をつけてビタミン、ミネラルを補います**。

昼食はゆっくりと摂れないので、**りんご1個とヨーグルト500グラム**。粗末のようですが、糖質、脂肪、たんぱく質、ビタミン、ミネラル、そして食物繊維がしっかり摂れる合理的な昼食です。

小腹がすけば、3時のおやつに果物やアーモンドなどナッツ類を食べます。

夕食はつき合いや会食が多いこともあって、**制限はゆるやかにしています**。しかし、肉は週に1回程度に控えています。自宅で摂る場合は、冬だと代謝がよくなる湯豆腐など鍋物が多くなります。

毎日、焼酎かウイスキーのお湯割りを2～3倍程度の晩酌をします。いかやうるめ鰯を、よく酒の友にしています。

この食事のお陰で、体調はすこぶるよく、視力も良好です。

外科医にとって、目は命――。60代後半になった今でも、私には老眼鏡の必要がありません。塩分を控え、野菜や果物で目の健康を助けるカリウムを豊富に摂っているからです。

「長寿遺伝子をオンにする」食べ方

40歳からは、1食あたりの量を「腹八分目」に抑えるのが基本です。

腹八分目は満腹感をもとにした物差しですが、適切な摂取カロリー量も意味しています。

細胞内には、長寿遺伝子（サーチュイン遺伝子）が存在します。長生きできる人とできない人との違いは、長寿遺伝子のスイッチが入っている状態かそうでないかにあるとわかってきました。

長寿遺伝子のスイッチをオンにするには、どうすればいいでしょうか？

その方法は、**食事のカロリー量を減らす**ことです。

カロリー量が減る状態が続くと、体は栄養分が足りない危険な状態と判断し、眠っていた長寿遺伝子にスイッチを入れます。スイッチがオンになった長寿遺伝子は細胞の劣化を防ごうと活性化して、体の老化を抑えて若返りをはかります。

研究では「腹七分」が最適条件になっていますが、あまり厳しく制限すると栄養素が全身に行きわたらなくなり、かえって健康障害を起こします。

日本には、「**腹八分に医者いらず**」という格言があります。まずは、腹八分に慣れることが肝心です。

では、腹八分目とは、具体的にどのくらいの食事量でしょうか？

主食の**ごはんは、茶碗1膳**を目安に調整します。白米は太りやすく、体の糖化を進める食材です。おいしい食材ですから、意識して控えめにすることが大事です。

主菜は、1品にします。2品だと、たんぱく質の摂りすぎになります。

肉、魚は手のひらに乗るくらいの量（80〜100グラム）で、魚だと鮭の切り身一切れに相当します。

卵と豆腐は良質のたんぱく源で脂質も含まれていますから、1個の卵も半丁の豆腐も単品で主菜になります。納豆は、豆腐と同じ大豆製品ですが、たんぱく質の**消化を助ける酵素**が含まれています。ですから、1パック（45グラム）であれば、肉や魚に副菜としてつけてもたんぱく質の摂りすぎにはなりません。

副菜は2品が望ましく、1品は必ず野菜にします。野菜は**加熱したものなら握りこぶし大**で、**生野菜であれば両手盛りほどの量**が目安になります。

低カロリーで栄養豊富な野菜は、この目安を超えた量を摂っても食べすぎにはなりません。できるだけ量をたくさん、また種類も多く摂りたい食材です。

豆やいも、きのこ、海藻も副菜で摂ります。

副菜を食べる目的は、ビタミン、ミネラル、食物繊維の補給にあります。ビタミン、ミネラルは**細胞や器官の働きをよくして強い体をつくる素**になります。食物繊維は、おもに**腸内環境を整える**役割を持ちます。野菜類はみそ汁の具にも使えば、多くの量が簡単に摂れます。

栄養バランスのコツは、一汁三菜を基本に多様な食材を組み合わせること。糖質、脂肪、たんぱく質、ビタミン、ミネラル、食物繊維の6大栄養素をきちんと摂り、ごはんや肉、魚に比べて野菜、きのこ、海藻を多めに摂ることにあります。

「まず野菜から食べる」——中年太りを防ぐ法

主食、みそ汁、主菜、副菜——あなたは何から箸をつけますか？

食べる順番しだいで、健康が左右されます。

まず野菜などの副菜から食べはじめ、みそ汁、主菜と箸を移していきます。そして、最後にお好みで適量を残した主菜、副菜、みそ汁とともに、主食のごはんを食べるようにするのです。

肝心なのは、**「野菜だけ」先に胃に入れる**こと。食物繊維には、糖分を吸着する働きがあります。体が必要とする以上の糖は食物繊維に吸着され、便となって排泄されます。脂肪を吸着する作用もあり、主菜の肉などの脂肪の吸収を抑えます。野菜を先に食べることで、中年太りの原因になる体脂肪の蓄積を抑えてくれるのです。

ごはんを食べるまで、できるだけ間を置くことも大事です。

ごはんは糖分のかたまりのような食材ですから、いきなりごはんを口にすれば少量であっても血糖値は急激に上がっていきます。

血糖値の急上昇は、膵《すい》臓からのインスリンの大量分泌を促します。

いきなりごはんから食べるのが習慣になっていると、インスリンの過剰分泌によって膵臓が疲弊《ひへい》します。疲れきった膵臓は働きが低下しますから、インスリンの分泌力も減退して糖尿病のリスクをどんどん高めてしまうのです。

食事をすれば、血糖値は必ず上昇します。しかし、野菜から食べる食べ方であれば、血糖値の上がり方をゆるやかにすることができるのです。それに、副菜、主菜で満腹感が早く得られるため、食べすぎの防止にもなります。

同じ野菜でも糖質の多いかぼちゃやいも類はごはんと同じと見なし、食べるのは後に回します。また、素材が何であれ、砂糖を使用した料理も後回しにします。

糖尿病、中年太りを防ぎ、そして**健康生活を送るためのもっとも簡単で効果のある食べ方**と言えるでしょう。

食事にかける時間も、健康増進に影響を及ぼします。一度の食事に最低20分はかけます。「お腹いっぱい」という信号が脳の満腹中枢と呼ばれる神経に送られるまで、およそ20分かかるからです。

ゆっくり食べるには、かむ回数を多くします。とくに、**野菜を数多くかむことが大事**です。食欲の抑制、血糖値が急上昇するのを防止する効果があります。

かむ回数を増やすと唾液の分泌が盛んになります。唾液には、消化酵素に加えて免疫力を高める酵素も含まれています。

また、脳が刺激されて血流がよくなりますから、ボケ防止にも役立ちます。

もし、ごはんから先に食べるのが習慣になっているようであれば、体の糖化が進んでいるか、高血糖であるかもしれません。

「食べる順番は野菜から」――。

今すぐに食べ方を変えれば、1カ月も続けると体脂肪の減少、血糖値の低下が明らかに見られます。

新和食――日本食に肉や卵を加えた理想の健康食

日本の100歳人口、つまり百寿者は、現在、およそ5万4000人。2050年には、68万人になると予想されています。

しかし、**百寿者の8割もが要介護者**だと推定されています。「ガンにならなければ長生きできる」というのが今や常識ですが、元気で自立して生活できなければ生きる喜び、生きている楽しみは見いだせるはずもありません。

男性70歳、女性74歳。

厚労省が発表した、日本人の「健康寿命」です（2010年調べ）。日常生活を大きく損ねる病気やケガがなく、健康な体で自立して生活できる期間を「**健康寿命**」と言います。

WHO（世界保健機関）の2007年版統計によれば、日本人の健康寿命は男性も女性も世界一なのですが、男性80歳、女性86歳の平均寿命とは10〜12年以上の開きがあります。10年もの介護暮らしは、本人にも家族にもあまりに長すぎます。

健康寿命を損なう原因は、脳卒中、認知症が原因の1、2位を占め、骨粗鬆症がかかわる骨折が4位に挙げられています。

年々、百寿者が増えていっても、**健康寿命を損ねた寝たきり人口も増加している**のです。

日本が長寿大国になったのは戦後、食の欧米化が急速に進み、肉などの動物性たんぱく質や脂肪が十分なハイカロリーの食事を摂るようになったからです。

戦前までの日本人の食事はごはんにみそ汁、魚、煮物、漬け物といった伝統的な和食でした。一見、栄養バランスのよい食事に思えますが、動物性たんぱく質、脂肪は十分に摂取できていませんでした。

塩分過多に、動物性たんぱく質と脂肪の不足による免疫力の低下。そのため、脳や心臓の血管系疾患や結核、肺炎などの感染症で亡くなる人が多かったのです。

戦後、食糧難から日本人は栄養失調に苦しんだこともあって、肉や卵、油料理などの洋食を奨励する栄養改善運動が始まりました。伝統的な和食に適度に肉や卵、油料理が加わって必要な動物性たんぱく質、脂肪が摂れるようになったのです。これが、日本人の寿命が延びた一因です。

今や、**日本食に肉や卵が加わった「新和食」は理想の健康食**として、逆に欧米諸国の手本になっています。

では、本家の日本ではどうかというと、残念ながら、ハイカロリーな欧米食の恩恵は裏目に出ています。好きなものを好きなだけ食べられる時代とあって、飽食、偏食など乱れた食習慣が、人生を壊す病の発症の引き金になっているのが現実です。

魚、野菜は健康食の基本として世界の常識です。

高名な栄養学者、コリン・キャンベル博士（アメリカ・コーネル大学名誉教授）が世界の3大健康食に新和食、中華食、地中海食を挙げています。共通項は魚介類と野菜の多量摂取で、いずれも人類が数千年にわたって食べてきた伝統食です。

なかでも、南イタリアを中心とした地域に受け継がれてきた地中海食は、肉は鶏だけで、新鮮な野菜や魚介類をふんだんに使う料理です。最近、血管系疾患のリスクを著しく低減させる効果があることが明らかになっています。

イタリア人の健康寿命は、世界3位です。地中海食もまた、健康寿命を延ばします。ぜひ取り入れたい食習慣です。

百寿時代に備えた活力を養い、蓄えていかなければなりません。そうでなければ、天寿を全うするまでの数十年間の幸福度に大きな差が出てきます。

人間の心身は、食物から摂った栄養素でつくられています。その主となる栄養素の質と量は、人生の前半と後半とでは違ってきます。年代に応じた栄養素の適切な摂取は、心身に最適なパフォーマンスをもたらして健康寿命を延ばすのです。

人生を壊す病に倒れることがなければ、健康寿命が寿命と同じになるのもけっして夢ではありません。

ＨｂＡ１ｃ――この「数値」には注意しよう

40歳から、もっとも気をつけたい健康指標が「血糖値」です。

それも、過去1～2カ月の血糖の平均状態を示す「**ＨｂＡ１ｃ（ヘモグロビン・エーワンシー）**」に気をつけます。

ＨｂＡ１ｃは糖尿病診断に用いられ、また検診でも重視される指標です。この数値をコントロールすることで、人生を壊す病のリスクが大幅に低減します。

血糖値が高くなる「高血糖」はすでに病態であり、慢性化した高血糖状態が糖尿病です。

ＨｂＡ１ｃは赤血球のヘモグロビンが血液中の余分なぶどう糖と結合したもので、

「糖化ヘモグロビン」とも言います。ヘモグロビンは赤血球の中に大量に存在するたんぱく質で、体の隅々まで酸素を運搬する役割を担っています。

HbA1cの値が6・5パーセントを超えると、糖尿病が強く疑われます。

ぶどう糖は血液の流れに乗って全身の細胞に運ばれ、脳や体の活動のエネルギー源として使われます。

糖尿病になると、ぶどう糖が細胞に行きわたらなくなって血液中にあふれてしまいます。すると、ぶどう糖を分解して細胞に取り込むインスリンというホルモンが足りなくなったり、あるいは働きが悪くなったりするのです。

日本は糖尿病人口が1割強もあり、世界6位の糖尿病大国。予備軍を含めると、5人に1人が高血糖と推定されます。

糖尿病は国民病なのです。

糖尿病は、はじめのうちは痛みや体調不良といった自覚症状がありません。そのためか、糖尿病と診断されても治療を受けない人が少なくありません。

しかし、糖尿病は「病気のデパート」と言われるほどで、そのまま放置しておくと臓器や細胞にダメージが及びます。

とくに、細かい血管が集まる目や腎臓、そして神経を損傷しやすいのです。失明にも至る網膜症、人工透析が必要になる腎症、手足がしびれる神経障害などの特有の合併症が、糖尿病発症時から10〜15年ほど経て発生します。

糖尿病になっていなくても、HbA1cが高いままの状態が続けば、血管の脅威になります。血管内皮が傷ついたりもろくなったりして、動脈硬化を引き起こすのです。

症状が進むと血管が詰まる、破れるといった障害が起こりやすくなって脳卒中や心疾患のリスクを高めます。

糖尿病の人とその予備軍の脳梗塞や心筋梗塞の死亡率が、そうでない人の2倍強にも上ります。

動脈硬化もやはり国民病で、男性は40代から発症が多くなり、女性だと閉経後の45歳以降が「適齢期」と言えます。

何歳から始めても「この食習慣」は効果がある！

糖尿病の怖さは、さまざまな合併症が起きることにあります。

一般的には、血管系疾患とガンを併せ持つケースは稀《まれ》で、脳卒中に倒れた人がガンを併発するケースはありません。

ところが、高血糖や糖尿病があると、両方を併せ持つリスクが高まります。血管系疾患と同じで、**ガンの発症リスクも2～3割も高くなる**ことがわかっています。

高血糖や糖尿病は、インスリンの働きが悪くなって起きます。そこで、膵臓は働きの弱さを量でカバーしようとして、大量のインスリンを分泌します。その血液中に増えすぎたインスリンがガン細胞の発生や増殖にかかわっている、と考えられているのです。

糖の摂りすぎも、ガン細胞の成長を促します。ガンは、ガン細胞がぶどう糖をエネルギー源にして成長・増殖を繰り返すことで発症に至ります。正常な細胞に比べ、3〜8倍のぶどう糖を消費します。

女性に多いアルツハイマー型認知症、すなわち「ボケ」も骨粗鬆症も、高血糖がハイリスク要因になると指摘されています。

ボケは「**脳の糖尿病**」とも言われ、甘いものなど過剰に摂った糖が脳のしみに関係していると考えられています。最近、「**糖尿病の人は、そうでない人より2倍もボケになりやすい**」との研究報告が出ています。

糖尿病は、骨にも影響を及ぼします。

骨には、新しい骨をつくる骨芽《こつが》細胞と古くなった骨を壊す破骨細胞があります。2つの細胞の働きで毎日、少しずつ骨はつくり変えられていきます。これを「骨代謝」と言います。

新しい骨をつくる細胞は、インスリンの作用で増殖します。糖尿病でインスリンの働きが悪くなると細胞が増えなくなり、相対的に骨を壊す細胞の作用が強まります。こうして骨密度が低下して、骨粗鬆症の発症のリスクが高まるのです。

糖尿病も30代後半からの食の不摂生や運動不足などの影響で、とくに50代から発症が多くなります。しかし、60歳までに高血糖などの危険因子がなければ、以降の発症はまずありません。

今、ＨｂＡ１ｃが６・５パーセントの上限近くであれば、体の糖化が進んでいる証拠です。すぐに食習慣を改善する必要があります。ＨｂＡ１ｃが上限内に収まるだけで、間違いなく人生を壊す病の発症リスクは大幅に減少します。

食習慣の改善に、遅いということはありません。思い立ったときが始まりなのです。

人生の後半に入ったら、食事の重要性を認識して自分の考えと意思、選択で食習慣を築いていかなければなりません。

2章

体の「糖化を防ぐ」食べ方から始めよう！

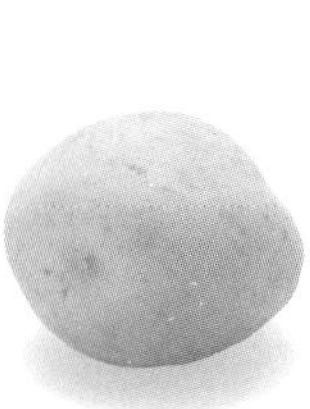

40歳からは「炭水化物」と上手につき合う

40歳からは、「代謝のいい体」をつくることが若さと健康の秘訣です。

前章で、代謝のいい「若い体」をつくる5つの条件を挙げました。この章では、「体の糖化」と「塩害」を防ぐ食事法について紹介していきます。

ここ数年、主食のごはんやパンなど、糖質の摂取量を減らすダイエット法を実践する人が増えています。

ダイエットとなると極端に走りやすく、ごはん、パンはいっさい口にしない、という人も少なくありません。たしかに、体重が減ったり、体脂肪が減ってお腹がへこんだりといった効果が早く表れる魅力があります。

糖は脳や体の最大のエネルギー源ですが、近年、糖質を十分に摂らなくても、体内の脂肪からケトン体という代わりのエネルギー源がつくられることがわかってきました。

しかし、**糖質を極端に減らすのは注意が必要**です。糖質を摂らずに短期間で急激に体重を減らすと、体は脂肪だけでなく筋肉のたんぱく質から糖をつくろうとします。そのため、筋肉量が減って基礎代謝も落ちてしまいます。

エネルギーは、おもに筋肉で使われます。筋肉量が多ければ、エネルギーの消費能力は大きく、筋肉を使えば使うほどエネルギーはどんどんつくられます。

筋肉が減るとその分、体脂肪に置き換えられます。重さが同じなら、体脂肪の体積は筋肉よりも2割ほど多く、かえって肥満体型になってしまいます。

せっかく糖質を制限して減量の成果を見ても、ダイエット後に体脂肪が増える悪循環に陥りやすいのです。と同時に、代謝も落ちますから老化が進んでいきます。

ダイエット目的でなく、血糖値コントロールのための糖質制限でも同じです。健康に害がないよう配慮しつつ、糖質摂取のコントロールをすることが大切です。

しかし、主食のごはんやパンは制限できても、とくに女性は甘いものの間食をやめるのはむずかしいものです。主食を制限すれば、空腹を感じることが多くなります。ケーキや和菓子などの甘いものについ手が伸びてしまうでしょう。

気をつけなければならないのは、ケーキや菓子類に使われる白い砂糖は、血糖値を急激に上げる食材だということ。

急上昇した血糖値は、大量のインスリン分泌で急降下します。しかし、こんどは低血糖になり、**脳は飢えと勘違いをして、さらに糖分を欲しがるようになる**のです。

砂糖を摂ると、「快楽ホルモン」と呼ばれるドーパミンという物質が脳内に放出され、脳が快感を覚えます。この快感を求め、中毒のようにますます甘いものが食べたくなります。これが、間食の大きな原因のひとつです。

間食で甘いものが欲しくなるのは、そもそも食事で糖質が不足しているからです。

糖質の摂り方については注意が必要です。とはいえ、栄養成分表と首っ引きになる必要はありません。「済陽式食習慣」の基本ルールで示したように、たとえばごはんなら「1食1膳」が適量です。

糖質の過剰摂取はたしかに健康を害しますが、だからといってごはんやパン、甘いものをやめたり減らしたりすればよい、というものではありません。**糖質との上手なつきあい方が、健康寿命を延ばす鍵**になる、そう肝に銘じていただきたいものです。

「揚げ物が好きな人」ほど、老けるのが早い!?

体の糖化は、活性酸素とともに老化を進め、健康寿命を縮める元凶です。

糖化は、血液中にあふれた糖が血管からしみだし、たんぱく質にくっついて起こります。

糖化した細胞は、本来の働きを失ってしまいます。体を構成する細胞などのたんぱく質が「メイラード反応」という「コゲつき（褐変《かっぺん》反応）」を起こして、「ＡＧＥｓ（終末糖化産物）」と呼ばれる物質に変わるのです。

イメージとしては、**こんがりと焼きあがったホットケーキ**、といったところでしょうか。

メイラード反応は、身近にある食品に見られます。ホットケーキは糖質（小麦粉、砂糖）とたんぱく質（卵、牛乳）を材料にして、加熱することでメイラード反応を起こした食品です。肉や魚の焼き目、コゲ目もそうです。

みそ、しょう油、ビール、コーヒー、せんべい、キャラメルなどの製造過程にもメイラード反応がかかわっています。

ＡＧＥｓは、食べ物からも体内に取り込まれます。その量は調理の方法によって違いがあります。

油を使った揚げ物、炒め物はＡＧＥｓの量が多くなります。焼き色、コゲ目の強いものもその値は高くなります。フライや天ぷら、唐揚げ、ポテトチップス、フライドポテトにはかなりの量のＡＧＥｓが含まれているのです。

揚げ物には、酸化の害もあります。揚げてから時間が経てば経つほど、体内毒素の活性酸素や過酸化脂質（酸化しすぎた脂）も発生させます。

過酸化脂質も、きわめて有害な物質です。体内に蓄積され、徐々に細胞や臓器の内部を傷つけていって破壊します。

一方、水を使って煮たり蒸したりしたものだと、AGEsの値は低くなります。肉だと、**焼肉やステーキよりもしゃぶしゃぶのほうがおすすめ**です。刺身など生ものには、AGEsがほとんど存在しません。

メイラード反応がかかわる食品でも、みそ、しょう油、コーヒーはAGEsの害を抑える成分が含まれていて、AGEsの心配がないと考えられています。

怖いのは、人工甘味料です。なかでも、清涼飲料水、炭酸飲料、菓子、缶詰など各種加工食品に使われている「フルクトースコーンシロップ（とうもろこし由来のぶどう糖果糖液糖）は、糖化を進めるきわめて有害な甘味料です。できるだけ避けるのが無難です。

AGEsは老化を早め、さまざまな機能を低下させます。男性ホルモンの分泌低下の原因にもなります。

老化とともに発症リスクが高まる白内障は、目の水晶体にAGEsが蓄積されて発症します。さらには、糖尿病、動脈硬化、ボケ、骨粗鬆症などの人生を壊す病も呼び込みます。

ＡＧＥｓの蓄積を防ぐには、ゆるやかな糖質制限と血糖値を上げない食べ方が大切です。

また、食事の30分後に体を動かすと血糖値の急上昇が抑制でき、血液中のＡＧＥｓの値も下がります。自宅での食事の場合、30分後を目途に食器洗いなど家事で小働きする習慣をつけると効果的です。

「太る食材」「老ける食材」の見分け方

食べてすぐに血糖値が急上昇する食べ物と、ゆるやかに上がる食べ物があります。その速度の違いは「ＧＩ値（グリセミック指数）」で表されます。ＧＩ値の高い食材ほど食後、血糖値を急激に上げて肥満や糖化に導きます。

糖質は分解されると、ぶどう糖になります。GI値は、ぶどう糖を食べた場合の血糖値の上昇度を最大値100として、その割合を示します。

糖化の目安になるGI値は、「60」です。この数値以上だと、血糖値を上げやすい食材になります。

「白い主食（白米、うどん、パン）」や菓子類のGI値は高く、玄米や緑黄色野菜、果物は低い食材です。

たとえば、食パンは90台で、白米とうどんも80台とGI値が高い食材です。主食のごはんやパンで**問題視されるのが、血糖値を急激に上げるこの白い主食**なのです。

食材のGI値については、最低限、次の3つを知っておけば十分です。

●白い主食と砂糖は、60を超える

●肉、魚介、野菜は40台以下。ただし、かぼちゃ、いも類は高い

●果物は甘くてもほとんどが30台。ただし、パイナップルとバナナは60台

白いごはん、白いパン、白いうどんなどの糖質を摂る場合、おかずや食べる順番に注意が必要です。同じ主食でも玄米、全粒粉パン、ライ麦パン、全粒粉パスタはGI値の低い食材です。

砂糖や油が多く使われているケーキなどの菓子類は控えるのが理想です。どうしても食べたい場合には、食べる前に食物繊維のサプリメントを摂り、糖と脂肪の吸収を抑える準備をしましょう。

和菓子でも同じです。

とはいえ、食べる回数を減らしていかないと、糖の過剰摂取になることに違いはありません。

市販のジュース、清涼飲料水、加糖缶コーヒーには、大量の砂糖が使われています。40代になったら禁物です。毎日、飲んでいる缶飲料をやめるだけで、1週間もしないうちに、体重、体脂肪が落ちてきます。

ＧＩ値の高い食材、低い食材

食後の血糖値上昇度指数

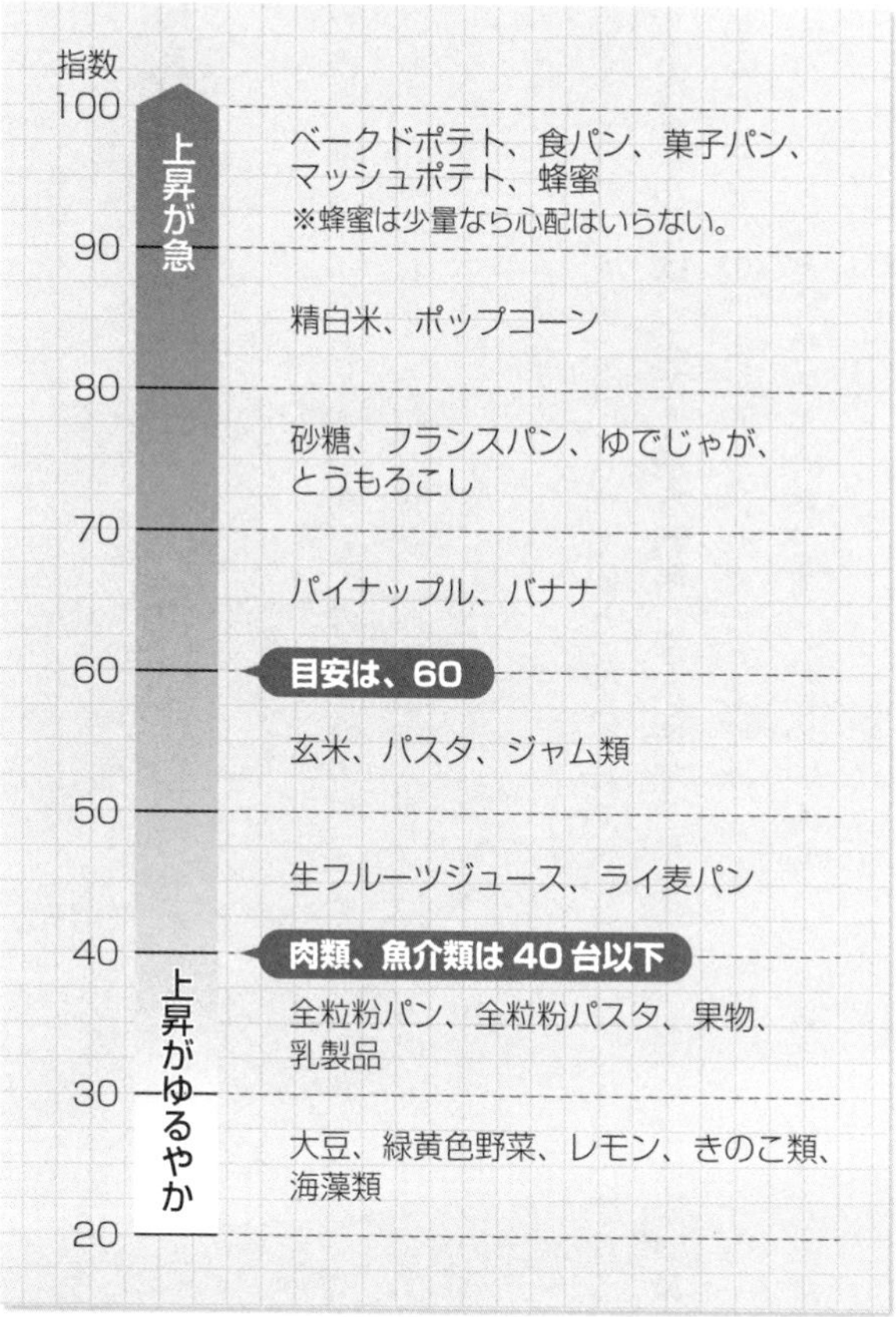

ごはんをよく食べる人は、便秘にならない

白い主食は、本当に「害あって益なし」の食材なのでしょうか。

では、なぜ、長寿の日本人が毎日毎食、白いごはんを食べているのでしょう。

世界の主食で思いつくのは米、小麦、とうもろこしの穀物にいも類。これらの食材のおもな成分は、でんぷんです。

生命活動を担う約60兆個とも100兆個とも言われている細胞から生み出される**エネルギーのほとんどは、ぶどう糖を利用しています**。生きていくためには、つねにぶどう糖を供給しつづけていかなければなりません。

でんぷんは、そのぶどう糖の集合体です。穀物やいも類、とくに米（白米、玄米、胚芽米）はエネルギーの供給源として、もっとも優れた食材なのです。

でんぷんは、消化酵素の**唾液アミラーゼの働きによって、甘みを持つぶどう糖に分解されます**。甘みは、食べる喜びを感じさせる大事な味覚です。よくかむことでたっぷり分泌される唾液アミラーゼには、食の営みに幸福感をもたらす役割があります。だからこそ、穀物やいも類が主食になるのです。

日本人で毎日毎食、パンを食べる人は多くはないはずです。3食、ラーメンでもよいという人でも、毎日は続けられません。

ところが、白いごはんとなると、ほとんどの人が毎食、飽きずに口にしています。これは、唾液アミラーゼの働きに加え、白米がおいしいからだと言えるでしょう。

- 白米は、よい水で炊けば味や匂いが強くないので、飽きずに食べられる
- 白米は、どんなおかずにも合う

白米など、米には便秘の予防・解消の効果もあります。1食あたりごはん1膳弱のグループと1・5膳程度のグループの比較では、多いグループでは便秘が4割も

少なかったという研究報告があります。

また、ごはんにみそ汁、大豆製品が多い伝統的和食型のほうが、肉類や油脂類の多い欧米食型よりも便秘に効果があることも指摘されています。

これは、**でんぷんに含まれる、食物繊維と水分が豊富だから**だと考えられています。便秘の人の大腸では、便を送り出すぜん動が弱っています。また、水分が少なく便が硬くなっています。食物繊維は、腸を刺激してぜん動を促します。

便秘解消法として水分摂取がすすめられていますが、水分はそのまま摂取しても多くは胃や小腸で吸収され、大腸まで到達しません。

しかし、**ごはんは水分を保持したまま大腸に達し、便を軟らかくします**。便秘の予防・解消は、病気にならない体づくりの基本です。3章で詳述しますが、腸内環境が整えられると免疫力も高まるからです。

米にはこうした重要な効用があるのですが、精製された白米は栄養素不足の食材。しかも血糖値を急激に上げ、肥満や糖尿病人口を増やす一因になっています。

だから、効用を生かしつつも、害から体を守る。人生後半の食の営みは糖質とのつき合い方、すなわち主食の白いごはんのコントロールが大事になるのです。

私の主食は、白米、発芽玄米、雑穀米をローテーションで日替わりにしています。発芽玄米は玄米をわずかに発芽させたもので、栄養価が高い米です。

ただ、玄米、雑穀米の味や硬さを苦手にしている人が少なくありません。毎日、白米にするのであれば、ときには雑穀米を混ぜてみましょう。玄米も胚芽米もおかゆにすれば、食べやすくなります。

●週2回は玄米、あるいは胚芽《はいが》米にする
●白米は、1食1膳を目安に制限。ときには雑穀米を混ぜる
●夕食は、たまにごはんを抜いてみる
●大麦、全粒粉パン、全粒粉パスタ、そばを取り入れる
●りんご、じゃがいもも主食になる

白いごはんと上手につき合うには、主食の常識を改めてみる必要があります。

玄米——「週2回は食べたい」完全栄養食

米や麦の胚芽部分は、ビタミンB群やビタミンE、食物繊維、酵素、抗酸化物質のリグナンがたっぷり含まれていて、まさに栄養素の宝庫です。

米の構造は表皮であるもみ殻、ぬか層、芽となって発育する胚芽、その栄養分になる胚乳からなります。

精製された白米は胚乳で、ほぼ100パーセントがでんぷんです。

玄米はもみ殻だけを取り除いたもので、**白米に比べてビタミンB_1は5倍、ビタミンEは7倍、食物繊維は6倍**も含みます。

胚芽米は胚芽を残して精米したものですが、それでもB_1は4倍、ビタミンEは5倍、食物繊維は3倍あります。

40歳からの
体に効く食材①

玄米
unpolished rice

胚芽米でもOK!

主な栄養分

ビタミンB_1、E
食物繊維
酵素
リグナン

最高の食べ合わせ
青魚

「玄米」のすごい効能

- 老化防止
- 肥満を防ぐ
- 便秘を予防・解消
- ガンの予防
- 腸内環境をよくする
- 免疫力を高める

ビタミンB1は、エネルギーを生む仕組み（ミトコンドリア内で起こるクエン酸回路）がスムーズに働くのを助けます。ビタミンE、セレンなどのミネラルには、老化を抑える強い抗酸化作用や美容効果があります。

また、米ぬかの食物繊維にガン細胞の増殖を抑えるだけでなく、細胞を非ガン化する成分（イノシトール6リン酸）が大量に含まれています。

週2回、玄米を摂るだけで栄養分の恩恵が十分に得られます。

ただし、栄養価が高いといっても玄米も糖質ですから、食べる量は1食1膳を目安にします。また、胚芽に農薬が蓄積するため無農薬米、低農薬米を使用する必要があります。

玄米は硬くて独特の匂いがあるために苦手という人は、胚芽米にしてみます。玄米を発芽させた発芽玄米を活用したり、雑穀や豆類をミックスした五穀米で変化をつけるのもよいでしょう。

麦も、主食としておおいに活用したい食材です。麦ごはんにする**大麦には、白米の20倍近い食物繊維が含まれています。**免疫力を上げ、コレステロールを低下させる作用があります。

小麦も胚芽や外皮を残した全粒粉小麦のほうが、精製したものよりも食物繊維や栄養素、酵素が多く含まれています。パンやパスタは、なるべく全粒粉を食べたいものです。

そばも、主食として利用してほしい食材。ビタミンB_1・B_2が豊富です。ビタミンB_2には**脂肪をエネルギーに変える際にサポート**したり、**脂肪の酸化を防いだりする**働きがあります。**毛細血管を丈夫にする**ルチンも含まれ、**高血圧予防にもよい**食材です。ただし、そばつゆの塩分には注意が必要です。

江戸・元禄時代以降、日本人は「銀シャリ」を追い求めた結果、真の滋養分を捨て去った「かす」ばかりを日常食にしています。今一度、主食の意味を振り返り、玄米、胚芽米などの「黒い主食」の重要性を認識してほしいものです。

玄米のほかに、糖質摂取をコントロールするうえで有効な主食となる日常食に、りんごとじゃがいもがあります。

「りんご＋蜂蜜」は私がイチ押しの若返り食！

1日1個のりんごは、医者を遠ざける——。

これは西洋にある俗諺《ぞくげん》で、りんごは欧米人にとって身近な健康食材です。

北欧では、神々が「青春のりんご」と呼ばれるりんごを食べて永遠の若さを保った、という不老長寿の神話が語り継がれています。

私が長年の研究でたどりついた結論も、**人生後半の体を支えるもっとも大切な食材は、レモン、ぶどう、そして、りんご**です。50歳をすぎてから、昼食にはりんごと飲むヨーグルトだけにしています。

りんごはでんぷんも含んでいて腹持ちもよいですから、主食として利用すれば、糖質をコントロールして糖化を防ぐのに有効な食材になります。

りんごの栄養を余すところなく摂取するには、丸かじりが一番。とくに、果皮の部分にはプロシアニジン、カテキンなど何種類もの強い抗酸化力を持つポリフェノールが豊富で、老化やガン細胞の増殖を抑制します。

りんごには各種のガン細胞の増殖を抑える成分が多く、最近、果皮に含まれる漢方生薬の大事な成分（トリテルペノイド）に、乳ガンや肝臓ガンの細胞増殖を抑制する効果もあると報告されています。

豊富な水溶性食物繊維のペクチンも、大腸ガンの予防効果が高く注目されています。ペクチンには腸内環境を整える働きがあり、腸内を酸性化させて善玉菌の繁殖を促し、逆に悪玉菌を減少させます。その結果、胃や腸の発ガン物質の発生が抑えられるのです。

効果の高い整腸作用は、便秘と下痢の予防・改善をします。

私は、お腹の調子が悪い患者さんに「蜂蜜入りりんごのすりおろし」をすすめています。**「りんご半個に蜂蜜大さじ1杯程度」で十分**です。

りんごは胃腸が疲れているときや、絶食した後に摂る食物として最適なのです。

りんごに蜂蜜を加えたものを、「バーモント食品」と言います。アメリカ・バーモント州に伝わる長寿食品です。蜂蜜に含まれるさまざまな花粉が腸内リンパ組織（腸管免疫）を刺激するとリンパ球が増えて免疫力が高まり、また蜂蜜本来の殺菌作用も加わって強力な長寿食品として働きます。

りんごは**老化やガンの予防食とともに、優れたダイエット食材**でもあります。果皮の近くに多くある抗酸化物質のクロロゲン酸が、首元から胸前に密集する褐色脂肪細胞を刺激します。この細胞の働きが活発になると代謝が盛んになり、体脂肪が燃焼します。

クロロゲン酸はりんご、バナナ、ごぼう、じゃがいもなど切り口が茶色になる野菜、果物に存在します。

ペクチンには、血液中のＬＤＬ（悪玉）コレステロールを減少させ、動脈硬化や心筋梗塞、糖尿病などの予防・改善効果もあります。

りんごは、人生後半の体に欠かせない健康果物なのです。

40歳からの
体に効く食材②

りんご
apple

甘い、おいしい、体にいい――
まさに万能の果物！

皮の部分に
老化抑制の
栄養が！

主な栄養分

カリウム
カルシウム
ビタミンC
りんご酸
クエン酸
食物繊維

最高の食べ合わせ
蜂蜜

「りんご」のすごい効能

- 老化を抑える
- ガンを防ぐ
- 高い整腸作用
- LDL（悪玉）コレステロールの減少
- 肥満を防ぐ

「1日1個のじゃがいも」でガンは防げる！

大地のりんご——。

フランスでは、栄養価も効果も高いじゃがいもをこう呼んでいます。

皮の近くには、りんごと同じくクロロゲン酸が多く含まれています。クロロゲン酸には、糖の吸収を抑える働きもあります。じゃがいもは血糖値を上げやすい食材ですが、クロロゲン酸の作用で逆に糖尿病の予防に効果があるのです。**じゃがいもの常食が糖尿病の発症リスクを半減させる**、という報告もあります。

カリウムも豊富です。カリウムはミネラルバランスで重要な役割を持ち、塩害を防いで代謝の正常化を保ちます（第1章既述）。高血圧の予防、視力回復など目の健康に効果があることは広く知られています。

じゃがいも

40歳からの
体に効く食材③

じゃがいも
potato

皮つきで蒸すのが
おすすめ！

皮の近くに
糖の吸収を抑える
栄養素が！

主な栄養分

ビタミンC、B_1
カリウム
でんぷん
クロロゲン酸
食物繊維

最高の
食べ合わせ
鶏肉

「じゃがいも」のすごい効能

- 糖尿病を防ぐ
- 代謝を上げる
- 高血圧を防ぐ
- 視力回復
- 免疫力を高める
- 腸内環境を整える

じゃがいもはビタミンCが豊富で、りんごのじつに8倍もの量があります。

ビタミンCサプリメントの原料のほとんどが、じゃがいもです。

ビタミンCは体の結合組織であるコラーゲンの合成に必要で、血管、皮膚、胃腸粘膜、骨などを強化する働きがあります。また、抗酸化作用を発揮して免疫力を高めるので、かぜなどのウイルス疾患やガンの予防に有用です。

ビタミンCは水溶性のため、葉物野菜や果物に含まれるものは調理で失われやすいのですが、じゃがいもは、でんぷんと結合しているので残存率は高いのです。ゆでたほうれん草の5割弱に対し、蒸した皮つきじゃがいもは7割強もあります。

ビタミンCを効率的に摂るには、じゃがいもを主食代わりに食べるのが有効です。それも、**皮つきで蒸すのがおすすめ**の調理法。

じゃがいもをはじめとしたいも類の特徴は、なんといっても食物繊維が豊富なことです。たんに便秘予防のみでなく、腸内のコレステロールの排出を促進します。

ビタミンCやカリウムなどのミネラル、食物繊維が豊富なじゃがいもは、「**毎日1個食べると、ガンを予防できる**」と言われています。

40歳からは「BMI値25未満」を目指そう

中年太りは、代謝が急激に落ちる40歳前後に、摂取カロリーが消費カロリーを上回ることで起こる、というのがこれまでの定説でした。

間違いではないのですが、最近では、**中年太りは、むしろ高血糖の影響が大きい**と考えられています。

糖質の過剰摂取で血液中にあふれたぶどう糖が、インスリンによって体脂肪として細胞内に取り込まれることで肥満が起こるのです。とくに、食後に血糖値を急上昇させるＧＩ値の高い食材に、おもな原因があります。

若いころの肥満と違い、中年太りは代謝異常をともなって細胞や血管、骨の劣化など老化を促進し、また免疫力を低下させます。

このように、中年太りは脳卒中、心疾患、ガン、ボケ、骨粗鬆症、そしてこれらの病気を誘発する糖尿病など人生を壊す病がいつ発症してもおかしくない体を表わしているのです。

肥満度を示す指標に、「ＢＭＩ（体格指数・Body Mass Index）」が使われます。その値は次の式から算出し、３つに分類されます。

ＢＭＩ値＝体重（kg）÷身長（m）÷身長（m）

- 18・5未満　やせ
- 18・5～25未満　普通（22が標準値）
- 25以上　肥満

ＢＭＩ値25以上は、危険水域です。人生を壊す病のリスクが高いと思わなければなりません。とくに、糖尿病発症の危険値なのです。

ガンの発症率も高まります。

国立がん研究センターの調査によれば、大腸ガンの場合、ＢＭＩ25未満の発症率を1とするとＢＭＩ30以上では1・5倍になります。乳ガンの発症率も、ぐんと上がります。

しかし、肥満は怖いといっても、やせ気味、やせすぎは低栄養の心配があり、これはこれでさまざまな健康障害をもたらします。普通レベルであれば、人生を壊す病だけでなく、ほかの生活習慣病にもなりにくいとされています。

日々、ＢＭＩ値25未満、普通レベルの体づくりを心がけることが、人生後半を上質なものにします。

体には、生まれながらにして健康に生きていきたいという「**自然治癒力**」が備わっています。そして、自然治癒力には、体内環境をつねに正常に保とうとする働きがあるのです。

代謝が正常であれば、この働きで体は太りすぎもせずやせすぎもせず、ＢＭＩ値が普通レベルの範囲に落ち着きます。

済陽式食習慣は、この自然治癒力を目覚めさせる食の営みなのです。

「塩＋肉」の組み合わせは要注意！

糖分の摂りすぎとともに、**塩分（塩化ナトリウム）の過剰摂取も中年太りの原因になります。**

塩分を摂りすぎると、体は体内の塩分濃度を薄めるために水分や食事の量を増やします。そのうえ、胃酸、胆汁などの消化液の分泌を盛んにして、食欲を増進させます。こうして、水太りや肥満を招きます。

中年太りは代謝異常の表れでもあります。その原因になるのが、塩分の過剰摂取です。

通常、体が必要とする塩分量は1日3グラム。魚介類、海藻、野菜など天然の食材にナトリウムが含まれていますから、**わざわざ塩分を調理に使わなくても十分に**

必要量が摂取できます。

日本人は塩分を摂りすぎる傾向があります。1日の平均摂取量は、11～13グラムになります。

厚労省が掲げる目標摂取量は男性9グラム、女性7・5グラム。これでも多いくらいで、欧米諸国と同じく6グラムが望ましいとしています。

これは、しょう油やソース、ドレッシング、マヨネーズなどを習慣的に使っていることが主因です。世界一の健康食、「和食」の唯一の欠点である塩分の使いすぎも原因のひとつになっています。

調味料に酢やレモンなどの柑橘類を利用すれば、塩分の使用量は少なくできます。たとえば、油物には酢やレモン、生野菜サラダはポン酢、焼き魚にも酢を使用します。みそ汁にだしを使えば、みその使用量は減らせます。

塩害による代表的な病は、脳卒中とガンです。

塩分は、動物性脂肪と合わさることで血圧を上げ、脳卒中のリスクを高めます。だから、肉好きの人は、要注意です。

また、ミネラルバランスをくずしてすべてのガンの発症を促します。細胞内のミネラル成分はおもにカリウムで、血液やリンパ液は細胞外液と呼ばれ、ナトリウムが豊富です。塩分の過剰摂取でナトリウムが細胞内に流れ込んで多くなると細胞障害をきたし、ガンが発症します。塩分の過剰摂取とは関係がないように思われる肺ガンも、発症リスクが高まってしまうのです。

胃ガンのように、別の発ガン原因をつくる場合もあります。胃ガンにはピロリ菌（ヘリコバクター・ピロリ）という細菌の存在もおおいに関係しています。

塩分は胃を保護する強い粘液を破壊して、粘膜を荒らします。その荒れた粘膜に、ピロリ菌が住みつきます。ピロリ菌は胃壁を荒らす毒物を出し、さらに住みやすい環境をつくって増殖していきます。

中年太りは代謝異常の兆候ですから、人生を壊す病の温床になっています。40代からは、**体重、内臓脂肪が増えれば増えるほど健康寿命が縮まっていく**と心得るべきでしょう。

塩害を防ぐ日常食には、先に挙げたじゃがいもに加えて牡蠣《かき》、大根があります。

「海のミルク」牡蠣――人生後半を支える栄養素がいっぱい！

塩分摂取が多くなる一因に、味覚の鈍化があると考えられますが、**ミネラルの亜鉛を積極的に摂ることで、自然と味覚が正常に戻ります**。

亜鉛は牡蠣、ウナギ、鶏のレバー、牛・豚肉、ゴマをはじめとした種実類、納豆や豆腐などの大豆製品、チーズから補給できます。

人生後半での健康食の秘訣として、私は友人・知人に「**シーフード・ベジタブル**」をすすめています。

シーフードは青魚や白身魚を中心にしますが、冬であれば**「海のミルク」と呼ばれる牡蠣はぜひとも日常食に加えたい食材**です。亜鉛はもちろんグリコーゲン、アミノ酸のタウリン、鉄などのミネラルやさまざまなビタミンを豊富にバランスよく含み、スーパー栄養食と言われる卵に匹敵する栄養素の宝庫なのです。

亜鉛は味覚を正常にするうえで重要な役割を果たします。不足すると遺伝子が傷つきやすくなったり、DNAの組み換えミスが起こって発ガンにつながります。また、抗酸化力や免疫力の強化、視力の維持にも欠かせないミネラルです。肌が荒れたりただれたりするのも、亜鉛不足が一因になっています。

亜鉛は、不足しがちなミネラルです。牡蠣は亜鉛が豊富で、含有量はウナギなどほかの食材の3倍もあります。**牡蠣2粒で、1日の必要量が摂取できます。**

やはり豊富に含まれる鉄は、血液の代謝に必要なミネラルで、女性に多い貧血を改善するのに大きな味方となります。

貝類のおいしさの源であるグリコーゲンは、多数のぶどう糖が寄り集まった多糖類（ポリマー）で、エネルギー発生に大きな役割を持ち、生命維持に不可欠な物質でもあります。

タウリンは、**人生後半の体を支える栄養素**です。たこ、いか、海老、蟹、貝類にも多く含まれますが、牡蠣がその代表格です。

牡蠣

40歳からの
体に効く食材❹

牡蠣

oyster

**カエサル、ナポレオンも絶賛！
人生後半を支える
ミラクル・フード！**

「海のミルク」——
海中の栄養分が
凝縮！

主な栄養分

亜鉛
ビタミンB_1、B_2
グリコーゲン
タウリン、鉄

最高の
食べ合わせ
酢

「牡蠣」のすごい効能

- 味覚を正常に保つ
- ガンを防ぐ
- 老化を抑えて免疫力を高める
- 視力の維持
- 肌荒れ解消
- 貧血を改善
- 代謝をサポート

タウリンはアミノ酸の一種で、血圧の正常化、総コレステロールの低下、HDL（善玉）コレステロールの増加などに効果があります。強心剤の一種でもあり、血液の流れをよくしますから、肝臓の代謝も改善されます。

牡蠣は洋の東西を問わず、食材として1万年の歴史を持ちます。日本では、縄文期（紀元前8000〜前300年）の貝塚から出土しています。古代ローマ時代には、養殖がすでに行なわれていました。

ユリウス・カエサル（ジュリアス・シーザー）はイギリス遠征時にテムズ河畔の牡蠣をおおいに賞味し、ローマに帰国後、養殖を奨励します。以降、**牡蠣はローマ皇帝のスタミナ源になった**と伝えられています。

生でもフライでも鍋でも美味な、滋養たっぷりの牡蠣は人生後半を迎えた世代には貴重な食材です。とくに、亜鉛の働きで塩分の過剰摂取を防いでくれますから、牡蠣の常食は味覚を薄味好みに変えて肥満の予防・解消にも役立ちます。

また、亜鉛は「**生殖のミネラル**」とも呼ばれるように、生殖細胞の代謝には不可欠で、精子の生産にもかかわっています。

大根――太らない体づくりに必須の食材

体を塩害から守るためにも、毎日、野菜をたくさん摂るよう心がけます。野菜にはカリウムが豊富です。このカリウムとナトリウムが体内でバランスが取れていれば代謝は正常となり、脳や心臓をはじめとした体の機能は健全に働きます。なかでも、**群を抜いてカリウムの含有量が多いのが、切り干し大根**。生の大根の14倍もあります。

天日干しすることで、生の大根にはあまりない栄養素が凝縮されるようになるのです。

生に比べて骨や歯を丈夫にするカルシウム、貧血予防の作用がある鉄分、代謝を促進するビタミンB1・B2の含有量がけた違いに多く、食物繊維も豊富です。

消化作用がある酵素としてよく知られているのが、ジアスターゼ。でんぷんの分解酵素アミラーゼとも言われる食物酵素で、食物から摂る消化酵素です。

食物酵素は生の食材、発酵食品に含まれます。食物繊維の相乗効果と代謝の活発化で、肥満の予防・解消におおいに役立ちます。

また、大根には糖化を進めるＡＧＥｓや、発ガン性のある焼き魚のコゲを解毒するオキシターゼという酵素も豊富に含まれています。

近年の研究で、大根に脂肪やたんぱく質を分解する酵素も含まれていることが明らかになっています。天ぷらに大根おろしが有効なのは、この理由によります。

辛み成分のイソチオシアネートには、殺菌作用のほか、強力な抗酸化物質として血栓防止やガン予防に有効に働きます。イソチオシアネートは細胞が壊れる際に生成されるので、刺身のつまのように細く刻んだりおろすと効率よく摂取できます。

葉には、抗酸化栄養素のビタミンＥが含まれています。

このように、天つゆや焼き魚のおろし、刺身のつまには科学的な根拠があるのです。大根は毎日、摂りたい食材のひとつです。

40歳からの
体に効く食材❺

大根

Japanese radish

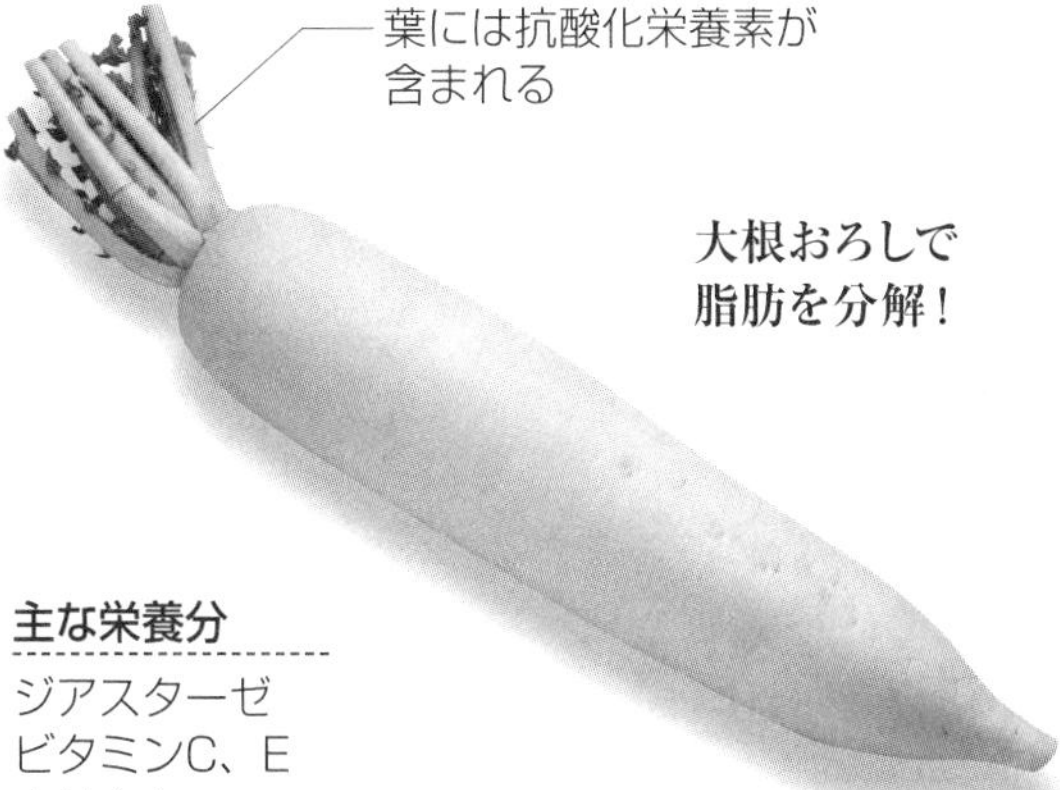

**大根おろしで
脂肪を分解！**

主な栄養分

ジアスターゼ
ビタミンC、E
カリウム
カルシウム
食物繊維

**最高の
食べ合わせ**

牛肉

「大根」のすごい効能

- 消化作用
- 代謝作用
- 解毒作用
- 殺菌作用
- 抗酸化作用

縄文食――日本人の免疫力を高める「日本の伝統食」

済陽式食習慣の原点は、「縄文食《じょうもん》」にあります。

縄文食とは、縄文時代に日本人が食べていた食事です。縄文時代は、約1万年前から紀元前300年ころの弥生時代までの長い期間。

縄文人の食事は現代の和食、地中海食に酷似しています。あわ、ひえ、きびなどの雑穀、青菜、山菜、柑橘系の果物、きのこ類、堅果類（胡桃《くるみ》、栗など）、魚介類（鮭、牡蠣、海老、蟹など）、海藻類（昆布、海苔など）、そして肉類（鹿、猪）、蜂蜜などを食べていました。冬の食料不足期に備えた発酵、燻製などの保存技術も持っていました。

どれも、現代にも通じる健康食材です。たとえば、きのこは免疫力を向上させ、また腸内環境を整えます。蜂蜜には、雑菌繁殖を防ぐ働きがあります。雑穀や堅果類はゆるやかに消化・吸収されますから、現代なら糖尿病を防ぐ理想的な健康食材です。

日本人は、世界でも稀なほど均質性の高い遺伝的歴史を持っています。1万年にも及ぶ**縄文人の体質は、必ずや現代の日本人にも受け継がれている**にちがいありません。

人間の食べ物は、穀物も魚介類も木の実も古来より世界共通の歴史があります。五穀や野菜、鮭をはじめ牡蠣、鹿、猪、熊、羊などは何千年にもわたり人類の貴重な食物でした。

食料調達の歴史を紐解くと、新石器時代や縄文期は漁労、採取の時代、やがて農耕栽培期に移り、さまざまな食材が工夫されてきました。こうして私たちの体になじんだ食材が、今日の私たちの体を形づくってきたのです。

こうした観点から、「何を食べ、どう生活すれば人間は健康でいられるか」を模索してきた私に、「**縄文食＝自然食＝免疫力向上**」という確信が深まりました。

鹿児島大学医学部の丸山征郎《いくろう》教授は、著書『背広を着た縄文人』のなかで、日本人の祖先がいかに飢餓やケガ、細菌による感染を克服して進化してきたか、その仕組みを述べていられます。丸山教授の指摘にあるように、現代人は、外見が新しくなっても体の構造や代謝機能は数千年の間、変化は少なく、まさに「背広を着た縄文人」なのです。

健康な食生活を追い求めていくと、必ず「昔ながらの食事」にたどりつきます。私は、古代から日本人が食べてきた食事内容を縄文食と呼んでいます。**日本人の伝統食は、「玄米菜食とシーフード」**です。伝統食は、人類がその長い歴史のなかで疾病《しっぺい》に苦しめられるなど身をもって体験・学習し、その克服のために探り当てた貴重な結論です。

そのポイントは、身の丈に合った分量、つまり十分に消化・吸収しうる食事量の摂取、そして食材が持つ機能性、つまり栄養の個性を生かした食事をすることに尽きます。

心不全や腎機能不全、肝臓機能障害は臓器のオーバーワークから生じる病気です。

消化管のオーバーワークとは、消化吸収不全のこと。それを起こすのが飽食です。

いつも**満腹になるまで食べていると、摂ったものが消化しきれずに代謝異常を起こして病気を呼び込んでしまいます。**

食べすぎ、満腹も人生を壊す病の原因になるのです。

病気の半分以上が、消化吸収不全が本体であり、それを回避すればおのずと病気の改善や治癒が得られるものと確信しています。

食材の機能を生かした食事とは、どういうものでしょうか。

先年、106歳で天寿を全うされた三神美和《みかみみわ》元東京女子医大名誉教授は、99歳まで女子医大で週1回、診察されていました。その先生に、健康の秘訣を伺ったことがあります。

「私の朝ごはんは、野菜をすりおろして食べるだけ。大根、にんじん、きゅうり、山いも、セロリ、こういったものをすりおろしてどんぶり1杯食べます。滋養補給、整腸効果、消化効果、殺菌作用、便秘予防効果もあるし、免疫力も上がるからとてもいいわよ」

と答えられました。

野菜が持つ栄養の個性、すなわち抗酸化力を生かした食事で、先生はこの朝食を80年間も続けたのです。

3章

「体を温める」食、「腸をきれいにする」食

体温が１度下がると、免疫力は４割も低下！

若さと免疫力とは、相関関係にあります。

免疫力は病気にならないための抵抗力、病気に打ち勝つ力の源です。20歳のころがピークで、40歳をすぎると半減します。

とはいえ、食習慣しだいで、**何歳になっても免疫力を高めることができる**のです。80歳をすぎても元気な人は、40～50代並みの免疫力を保っていることがわかっています。

免疫の働きは白血球が中心になって、外部からの細菌やウイルスの侵入を防ぎ、異物を処理します。白血球は大きく分けて「顆粒《かりゅう》球」と「リンパ球」の2種類があり、それぞれは数種類に分かれています。

●顆粒球……細菌などの大きめの異物を処理する
●リンパ球……ウイルスなど小さめの異物やガン細胞を処理する

顆粒球とリンパ球は、自律神経の影響を大きく受けます。

自律神経には、心臓や胃腸、血管、内分泌腺（ホルモン分泌腺）といった各器官をコントロールして呼吸、体温、血圧などを調節する働きがあります。**体の働きを活発にする「交感神経」**と、**体を休ませる「副交感神経」**の２種類があります。

日中起きているときや、ストレスを受けているときは交感神経が活発化し、夜間寝ているときや、リラックスしているときは副交感神経が優位に働いています。

交感神経が活発化しているとき、顆粒球が増えます。顆粒球は見つけた細菌を食べて殺すのですが、数が増えると悪玉に変わり、体のあちこちに炎症物質をまき散らします。睡眠不足やストレスが続くと胃腸炎、吹き出もの、肌荒れが起こるのはこのためです。

顆粒球には寿命があって2～3日で死んでしまい、その死骸が、「膿《うみ》」となります。死滅する際に、有毒の活性酸素を大量に発生させます。

一方、リンパ球は副交感神経が優位である間、たとえば睡眠中にどんどんつくられます。かぜのウイルスやガン細胞に立ち向かうのがこのリンパ球です。寿命は種類によってさまざまで、短命のものもあれば数カ月の寿命を持つものもあります。

交感神経と副交感神経の作用のバランスがうまく取れていれば、顆粒球とリンパ球のバランスもよい状態にあります。ところが、ストレスや緊張で交感神経が過剰興奮すると、顆粒球がどんどんつくられるようになるのです。

通常、免疫力はリンパ球の働きを指します。**リンパ球は体温と密接な関係があり、高体温の環境で数を増やし活発化**します。

逆に、「冷えた体」だと顆粒球の勢いが増してリンパ球は減少します。

冷えた体とは、35・9度以下の「低体温」の体のこと。昨今、35度台の人が増えていて、女性にかぎらず男性にも「冷え」を訴える人が少なくありません。血液の流れが悪くなって起こるのですが、放っておくと老化がどんどん進んでいきます。

健康な人の平均体温は、36・8度前後。**体温が1度下がると、免疫力は4割も低下**します。基礎代謝も1割強ほど落ちて、カロリー消費能力がほぼ大福1個分、減退します。すると、体は病気になりやすく、太りやすくなるのです。

また、細胞の働きも低下して、老化速度がぐんと上がってしまいます。

私たちが生きていられるのは、熱をつくっているからにほかなりません。熱はエネルギーのことで、熱が活発につくられていると免疫力や基礎代謝が上がります。つまり、**代謝の向上が重要**なのです。

免疫力を強化するためには、リンパ球など免疫細胞の原料となるたんぱく質をしっかり摂る必要があります。また、代謝を促進するビタミンB群、抗酸化作用を持つビタミンA、C、Eの積極的な摂取も大切です。

これらの栄養素が豊富な日常食として、玄米、にんにく、椎茸、昆布、レモン、蜂蜜、肉、鮭、卵、納豆、酢を私は推奨しています。冷えがひどい人は、加えてビタミンEの含有量が多いかぼちゃ、アボカド、ナッツ類などを摂るようにするとよいでしょう。

にんにく——臭い成分が免疫力を一気に上げる

古代エジプトのピラミッド建設の際、重労働の作業者に対する栄養補給のために活用された食材。それが、「にんにく・かぶ・玉ねぎ」です。

古代ギリシャの歴史家ヘロドトスは、その費用が莫大だったと記しています。

今でもにんにくは、スタミナ源として親しまれています。臭い成分の硫黄化合物アリシンには、代謝の賦活《ふかつ》作用（機能を活発化させる働き）があります。

この作用が、**免疫力強化、疲労回復に効果を発揮する**のです。また、豊富なカリウム、ビタミンB群もミネラルバランスを改善して代謝を向上させます。

アリシンには強い酸化作用があります。胃弱の人は胃の粘膜が傷ついたり下痢を起こしたりします。1日2片以内にして、食べすぎないように注意しましょう。

40歳からの
体に効く食材 ❻

にんにく

garlic

強壮効果はバツグン！

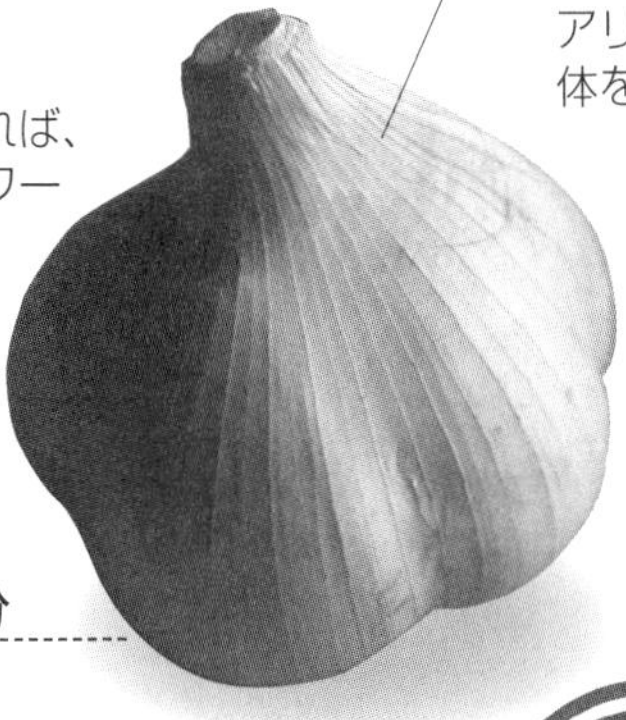
きざんで
油で炒めれば、
さらにパワー
アップ！
臭い成分・
アリシンが
体を活性化！

主な栄養分

アリシン
カリウム
ビタミンB_1、B_2

最高の食べ合わせ
卵

「にんにく」のすごい効能

- ガンを防ぐ
- 疲労回復
- 免疫力を高める
- 代謝を上げる

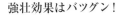

にんにくを切ったり潰したりすると、酵素の働きでアリシンが増えます。みそ漬け、焼酎漬けのように、丸ごと調理すれば臭いも抑えられます。

1990年、アメリカで国民栄養指導指針「デザイナーズフーズ・プログラム」が発表されました。それによると、キャベツ、にんじん、大豆、生姜《しようが》、セロリなどとともに、**にんにくはガン予防食材のトップ**に挙げられています。

抗ガン作用が注目されたきっかけは、1980年代後半に行なわれたアメリカと中国山東省との共同疫学調査。にんにくを年間1・5キロ食べるグループと0・1キロ以下のグループを比較すると、胃ガンの発症率が前者で半分以下だったのです。イタリアの調査でも、同様の結果が出ています。これはにんにくの胃粘膜への抗菌作用や、代謝異常による発ガンの防止作用と考えられています。

ほかにも高血圧の降圧作用、血栓防止、LDLコレステロールや中性脂肪を減らすといった効用がわかっています。

にんにくの語源は仏教用語の「忍辱（にんにく）」で、修行僧が荒行に耐える体力養成に、にんにくや野蒜《のびる》を食べていたことから出た言葉と伝えられています。

椎茸――カルシウム吸収を高め、骨粗鬆症を防ぐ

近年、きのこ類の免疫賦活パワーが注目されています。

とくに、椎茸から得られるレンチナンには、小腸粘膜のリンパ組織パイエル板を刺激し、白血球の一種のマクロファージやT型リンパ球（T細胞）を増殖させて体の抵抗力を強める働きがあります。免疫増強剤や、抗ガン剤の材料に使われています。

マクロファージ、T型リンパ球は、ガン細胞を攻撃します。

きのこ類には、**骨粗鬆症や動脈硬化の予防効果**もあります。やはり椎茸がその代表格です。

椎茸は天日干しにすると、紫外線によってビタミンDが多量につくられます。ビ

タミンDは、骨の主要成分のカルシウムの腸管吸収を高め、血中のカルシウムを骨に運び込んで骨を丈夫にします。

ビタミンDには、D_2とD_3の2種類があります。

D_2は干し椎茸などきのこ類に豊富で、D_3は魚に多く含まれます。じつは、ビタミンDは魚由来のD_3で補うほうが効率的であることがわかっています。

しかし、男女を問わず魚離れが進んでいるため、きのこ類でビタミンDを積極的に補うことが望ましいでしょう。

また、おもに椎茸に含まれるエリタニデンという成分には、動脈硬化を引き起こす酸化LDLコレステロールやホモシステインという物質の生成を抑える働きがあります。

現代人は、食物繊維が不足しています。**きのこ類は食物繊維の固まり**のような食材ですから、野菜などと併せて摂ることで、慢性的とも言える食物繊維不足の解消におおいに役立ちます。また、数少ない低エネルギー食材で、幅広い効能があります。

40歳からの
体に効く食材 7

椎茸

shiitake mushroom

骨を丈夫にするビタミンDが豊富！

長年、日本人が
親しんできた
うまみ成分が凝縮！

主な栄養分

ビタミンD
エリタニデン
食物繊維
レンチナン

最高の食べ合わせ
昆布

「椎茸」のすごい効能

- 腸内環境を整え、便秘を解消
- コレステロールや脂肪の吸収を防ぐ
- 血液中の総コレステロールの減少
- 血圧を下げる
- 大腸ガンを防ぐ

椎茸は人生を壊す病の予防・改善に必須の栄養素を持った**健康寿命を延ばす食材**なのです。

きのこの作用で特筆しておきたいのが、料理に欠かせないうま味成分。とりわけ、椎茸は昆布、鰹節と並ぶ出汁《だし》の基本で、日本人なら誰もが長年親しんできた味です。うま味成分には、3種類があります。

昆布などから抽出されるグルタミン酸（ナトリウム）はいかや鰯にも含まれ、昔より日本で好まれてきた味です。

鰹節に含まれるイノシン酸（ナトリウム）は煮干しなど動物性食材特有のうま味成分。

椎茸やしめじ、松茸などきのこ類に含まれるのがグアニル酸（ナトリウム）です。

3つの成分が組み合わさると、相乗効果でうま味が格段に増します。

うま味成分は、すべてたんぱく質の原料となるアミノ酸です。うま味は、たんぱく質の存在を知らせるシグナルであることが明らかにされつつあります。

「海の野菜」昆布は、ガンの予防効果がある！

海藻類に含まれるミネラルは、体の成長や代謝に欠かせない栄養素です。

海藻と言えば、昆布。昆布と言えば、ヨード（ヨウ素）。

ヨードは、甲状腺ホルモンの主原料で、**基礎代謝を盛んにする働き**があります。代謝が盛んになれば、体から冷えが取れて免疫力も向上します。生活習慣病、ひいては人生を壊す病の予防にもなる重要な栄養素です。

近年は、**昆布に含まれる糖質にガンの予防効果がある**ことがわかり、見直されています。欧米でも、かつては「Sea Weed（海の雑草）」と呼ばれて軽視されていましたが、今では「**Sea Vegetable（海の野菜）**」と再評価されています。

海藻の代表格・昆布の組成は糖質が6割弱で、**ミネラルは1割と自然界の食材で**

は飛び抜けて多く、ヨードのほかにカリウム、カルシウム、鉄なども豊富です。昆布をはじめ海藻は糖質が多くてもでんぷんを含まないので、きわめて低エネルギーの食材です。

糖質は単糖類、二糖類、多糖類に分類されます。単糖類はこれ以上分解できない糖で、ぶどう糖、果糖がそうです。二糖類は2つの単糖類が結合したもので、蔗糖(砂糖の主成分)、乳糖、オリゴ糖などがあります。多糖類はでんぷんや食物繊維のセルロースなどで、複数の糖が結合したものです。

昆布やモズクなどに含まれるネバネバ・ヌルヌル成分も、フコイダンという多糖類で食物繊維です。フコイダンは血液中の免疫賦活作用のあるインターフェロンを増やし、ガン予防に効果があると注目されています。

昆布やワカメなどに多く含まれる食物繊維のアルギン酸や、抗酸化作用があるタウリンにはナトリウム、コレステロールを体外に排出する働きがあり、**高血圧や高脂血の予防に役立ちます。**

タウリンはたこ、いか、海老などの魚介類にも多く、とくに牡蠣は圧倒的な量を

40歳からの
体に効く食材 ❽

昆布

sea tangle

健康寿命を延ばす
「シー・ベジタブル」!

基礎代謝
アップ!

主な栄養分

ヨード
カリウム
カルシウム
鉄
アルギン酸
タウリン

最高の
食べ合わせ

大根

「昆布」のすごい効能

- 高血圧・高脂血の予防
- 血糖値を下げる
- 老化を防ぐ
- 発ガンの抑制
- 代謝を上げる
- 更年期障害の予防・改善
- 細胞機能の正常化

含み、血糖値を下げて糖尿病を予防するといった働きも確認されています。

また、ビタミンEも含まれているので、活性酸素の害から細胞を守り、**老化抑制、ガン予防、女性の更年期障害の予防・改善にも有効**です。カリウムが抜群に多く、細胞の老化を防ぎ、病的細胞の正常化、代謝向上に役立っています。

かつて、沖縄県民の平均寿命は、男女とも長らく全国1位の座が指定席になっていました。日本人の3大疾病である脳血管疾患による死亡率が全国最下位で、ガンも心疾患も低いものでした。

この要因のひとつとして、昆布など海藻の大量摂取が挙げられていました。

近年、若者の昆布離れと高脂肪高たんぱくのアメリカ型の食生活の影響で、沖縄男性の平均寿命は30位と急落し、女性も1位の座を長野県に譲り3位に後退しています。

昆布でさまざまな栄養素が凝縮しているところは、根昆布です。私は毎朝、鋏で小片に切った根昆布を緑茶に入れて飲み、数十分して軟らかくなったところで口に入れて、通勤途上、賞味しながら食べています。

レモン——黄色い色素に驚きの抗酸化パワーが！

わが家は、レモンをおもにして1人1日2個の柑橘類の飲用を義務づけています。家族5人の1カ月消費量は、グレープフルーツやオレンジを含めてゆうに300個を超えます。

レモンにはクエン酸が豊富に含まれています。クエン酸は、**免疫力を高めたり、代謝の正常化や疲労を回復させる作用**があり、柑橘類に多く含まれます。

運動中や後に、レモンのスライスを蜂蜜や砂糖をかけて食べることがありますが、これは疲労回復を早めるからなのです。クエン酸には糖の吸収を助ける働きがあり、蜂蜜などの糖分をエネルギー源としてすぐに活用できるのです。

クエン酸には、あまり知られていない効果もあります。

体内のカルシウムなどのミネラルを包み込むキレート（ギリシャ語で蟹のはさみ）作用があることで、カルシウムの吸収がぜんよくなるのです。

焼き魚にレモンひと絞りはおいしいだけでなく、カルシウムを効率よく吸収するのを助け、人生後半に備えて骨を丈夫にし、骨粗鬆症予防に貢献します。

レモンも抗酸化作用が強く、健康・長寿食材のひとつです。レモンと言えば、ビタミンCの代名詞です。ビタミンCとともに**強力な抗酸化作用を持つ**のが、果皮に含まれる黄色い色素のエリオシトリン（レモンポリフェノール）。活性酸素を吸着したり、ＬＤＬコレステロールの酸化を抑えたりして動脈硬化を予防します。

私は、**果皮を乾燥させて蜂蜜に漬けたレモンピール**にしています。

レモンをはじめとしたグレープフルーツ、オレンジ、温州みかん、夏みかん、柚《ゆ》子《ず》などの柑橘類はいずれもビタミンCや抗酸化物質、クエン酸の宝庫。果物のなかでもアンチエイジングフードとしてその効果が期待されています。

柑橘類は高血圧や血流の改善など血管障害系の生活習慣病にも効果があるので、ジュースやおやつ、デザート、薬味など日常食としておおいに活用したい食材です。

40歳からの
体に効く食材 9

レモン

lemon

**長寿の秘訣は
1日1個のレモン！**

果皮に含まれる
色素が
若さに効く！

主な栄養分

クエン酸
ビタミンC
エリオシトリン

**最高の
食べ合わせ**

焼き魚

「レモン」のすごい効能

- 骨を丈夫にする
- 動脈硬化の予防
- 活性酸素を吸着

蜂蜜――自然の恵みが凝縮した「黄金の栄養食材」

かつての中央アジア・カフカス地方（現在のグルジア共和国とアゼルバイジャン共和国あたり）には百寿者がゴロゴロいて、夫婦で200歳以上というのも珍しくありません。

世界の長寿村を探訪して調査研究をし、長寿食研究の第一人者として有名なのが家森《やもり》幸男京都大学名誉教授です。家森先生は、長寿の秘訣は蜂蜜とカスピ海ヨーグルトの常食にあると言います。

蜂蜜で腸内雑菌の繁殖を防ぎ、逆にヨーグルトで腸内善玉菌を繁殖させて免疫力を高めているのです。

私も**毎朝、蜂蜜レモンを摂るのを習慣にしています**。コーヒーや紅茶にも用いて

蜂蜜

40歳からの
体に効く食材⑩

蜂蜜

honey

自然からの贈り物——
黄金の滋養・強壮食！

主な栄養分

糖質
ビタミンA、
B、C、K
カルシウム
カリウム
鉄
亜鉛

最高の食べ合わせ
レモン

「蜂蜜」のすごい効能

- 免疫力を高める
- 代謝の活発化
- 胃潰瘍、胃ガンの予防

います。

1日に、大さじ2杯が目安。野菜ジュースに入れると、野菜独特の味がやわらぎ飲みやすくなります。

花畑からミツバチが集めてくる花蜜（蜂蜜）は栄養価に富み、**古来、滋養・強壮食品として珍重されてきた**自然からのすばらしい贈り物です。

栄養成分は糖分や各種アミノ酸、多種豊富なビタミンとミネラル、そして乳酸やクエン酸などの有機酸、各種酵素などがあります。

およそ8割を占めるのは、甘味成分の糖質。大量に摂らなければ、血糖値上昇への影響はありません。また、エネルギー量は砂糖の4分の3程度です。

有機酸は、エネルギー産生を盛んにして代謝を活発にします。各種酵素は、糖質などの物質の代謝を正常に保ちます。ビタミンはA、B群、C、K、ミネラルはカルシウム、鉄、銅、リン、硫黄、カリウム、亜鉛と富み、まさしく**黄金の栄養食材**と言えるでしょう。

蜜源となる植物はレンゲ、クローバー、りんご、アカシア、あるいはハーブ類まで多種多様。

蜜源によって味や香り、栄養価が異なるのも蜂蜜の楽しみです。

しかし、昨今、農薬の汚染、抗生物質の混入問題が発生しています。長期保存や輸出の際に、抗生物質が使用されるケースが少なくないのです。私は安全性を考慮して、ニュージーランドの樹木マヌカから採れた蜂蜜を常用しています。ニュージーランド北島では30年来、牧草地への農薬投与が禁止されてきましたから、マヌカ蜂蜜は世界一の安全性を誇っています。

このマヌカ蜂蜜は古くから民間薬として重宝され、かぜや口内炎などで荒れた粘膜の保護・改善に優れた作用を発揮しています。

近年では、胃潰瘍、胃ガンの遠因となるピロリ菌への抗菌作用が、ほかの蜂蜜の7～8倍も強いことが証明されています。

胃潰瘍、胃ガンの予防におおいに役立つ最強の蜂蜜なのです。

古代ギリシャの大数学者ピタゴラスは、1日2食で「黒パン・野菜・蜂蜜」を常食として、90歳まで長命でした。

鶏肉の不飽和脂肪酸で「血液サラサラ」に！

私たちの体は6～7割が水分で、2割がたんぱく質でできています。たんぱく質は20種類のアミノ酸でできていますが、そのうち、体内で合成できず、食物から摂らなければならない9種類を、「必須アミノ酸」と呼びます。

体にとって理想的な必須アミノ酸の量、組み合わせバランスを点数化したものを「アミノ酸スコア」と言います。100に近いほど、良質なたんぱく食材です。その**アミノ酸スコアがパーフェクトな食材が牛や豚、鶏などの肉**です。

リンパ球など免疫細胞は、たんぱく質からつくられます。すなわち、免疫細胞が正常に働くには、上質なたんぱく質が必要になりますから、そのたんぱく源である肉は免疫力強化に不可欠な食材なのです。

肉には、とくに女性に必要なビタミンやミネラルも豊富です。たとえば、代謝を促し、新陳代謝やコラーゲンの生成を助けて荒れ肌、脂性肌を予防・解消して美肌・健康肌効果を持つビタミンB群、女性ホルモンの働きを助ける亜鉛、貧血を予防する鉄などが多く含まれます。

とは言っても、牛や豚、羊などの四足歩行動物の肉は、ガンの発生と因果関係がはっきりしています。動物性たんぱく質（アニマルプロテイン）、動物性脂肪の摂取量が増加すると、大腸ガンや乳ガンの発症リスクを高めます。

牛肉を毎日食べる人は、週に1回程度しか食べない人に比べ、**大腸ガンの発症率が約2倍も高い**ことも明らかになっています。

動物性たんぱく質は代謝しにくい栄養素。摂りすぎると消化不良となり、残りかすが腐敗します。それが腸機能を低下させ、発ガンリスクを高める一因となります。

また、とくに四足歩行動物の肉に多い飽和脂肪酸という脂は、動物の体内では液状を保ちますが、動物より体温が低い人間の体内に入ると凝固しやすくなります。ドロドロ血液になりやすくなるのです。

ラーメンのスープや肉を使った煮物の汁が冷えると、白い脂が浮かんできますが、あれが飽和脂肪酸です。

もともと日本人には少なかった大腸ガンが、この40年で9倍に増えたのも、日本人の食生活が肉中心になったことと けっして無関係ではありません。

肉は日常食として欠かせない食材ですが、食べる量・回数に制限が必要です。

1回あたりの量を80〜100グラムにして週3回までにします。必ず、つけあわせに野菜をたっぷり用意しましょう。

牛や豚よりも脂肪量が約半分の鶏肉が望ましく、食べるのはささみ、胸肉。もも肉なら、なるべく脂肪が多い皮を取りのぞきます。

鶏肉にも飽和脂肪酸は含まれますが、それ以上に、**血液をサラサラにする不飽和脂肪酸が豊富**なので、血液がドロドロになることはありません。しかし、やはり脂肪が多い食材ですから、牛や豚よりも少ないといっても摂りすぎは禁物です。

牛や豚など四足歩行動物の肉は、合わせて週2回以内にします。毎週、牛と豚を食べるのなら、鶏を加えてそれぞれ1回ずつの計3回にします。

脂肪が少なく、赤身の多いヒレ肉かもも肉にします。霜降り肉やロース肉などの脂身は、なるべく月に1～2度、「お楽しみの食卓の日」をつくって、その日に堪能することをすすめます。

肉はとにかく脂肪が気になりますから、脂肪を適度に落とす調理の工夫が必要です。**沸騰した湯にくぐらせるのが、脂抜きとして一番の調理法**です。

しゃぶしゃぶのようにそのまま食べてもよいし、保存して煮物に使うこともできます。すね肉が煮込み料理やスープに使われるのは、筋に含まれるコラーゲンが加熱によってゼラチンになり、また脂も抜けて食べやすくなるからです。

焼く場合は下ゆでして焼くか、フッ素樹脂加工のフライパンで油をひかずに焼くといった方法もあります。

40歳からの体に効く食材⑪

「鶏肉」のすごい効能

- 免疫力の強化
- 貧血予防
- 美肌・健康肌効果

最高の食べ合わせ　トマト

薬食い――鮭は「究極のアンチエイジングフード」

鮭は、古くは「薬食い」と言われ、かぜ予防の食材として親しまれていました。近年では、「**鮭は究極のアンチエイジングフード**」として注目されています。

鮭は身が赤くても赤身魚の鮪《まぐろ》や鰤《ぶり》とは異なり、白身魚なのです。赤い色は海老、蟹と同じでアスタキサンチンという天然色素によるものです。

この色素は、ビタミンE、β《ベータ》カロテン、リコピンなどの脂溶性抗酸化物質のなかで一番抗酸化力が強いことから、**鮭は最強の抗酸化食材**と言われています。

アスタキサンチンは、鮭が秋口に産卵のために川を遡上《そじょう》する直前に食べるプランクトン、藻、海老、蟹の幼生に多く含まれています。これらが鮭の体内ですぐに代謝され、その後、鮭が産卵するまでの1週間あまり、活性酸素による酸化などさま

40歳からの
体に効く食材⑫

鮭
salmon

**「薬食い」と呼ばれる
究極のアンチエイジング・フード！**

身も皮も中骨も
はらわたも……
すべて栄養満点！

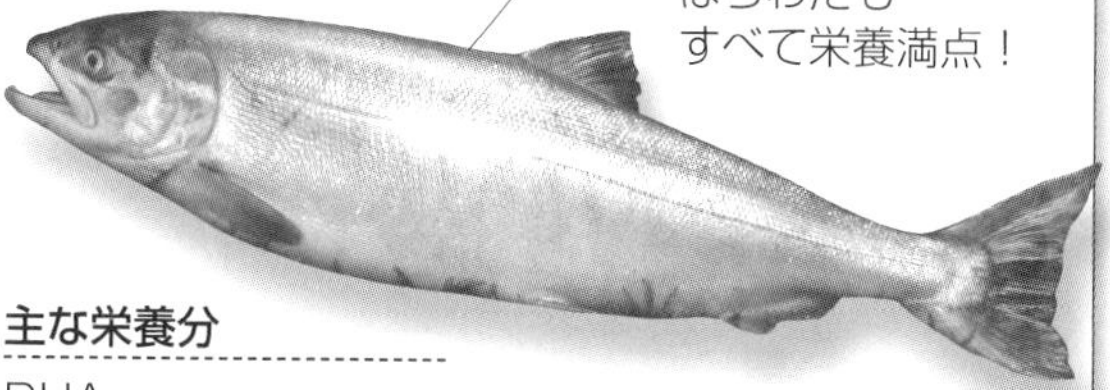

主な栄養分

DHA
EPA
ビタミンA、D、B群、E
たんぱく質
βカロテン

最高の食べ合わせ
ブロッコリー

「鮭」のすごい効能

- 老化を防ぐ
- 免疫力を高める
- 老眼を防ぐ
- かぜを防ぐ
- ガン、骨粗鬆症、動脈硬化、糖尿病を防ぐ
- 肥満を防ぐ

ざまな障害から体を守るのです。

活性酸素の除去は、老化を抑えることにつながります。アスタキサンチンには免疫力を高める働きもありますから、ガン予防にも大きな効果を発揮するのです。

脳の血管には、血液中の物質が簡単に脳組織に移行しないように働く血液脳関門と呼ばれる障壁があります。アスタキサンチンはこの関門を通過し、脳内の活性酸素を除去して脳の変性やボケを予防します。

また、目の網膜まで到達して、目の障害を防いだり老眼の進行を抑えたりします。

鮭は身も皮も中骨も、また卵巣、背腸《せわた》も**すべてが栄養バランスに優れています**。牛や豚肉に劣らないほどたんぱく質が多く、たんぱく質を構成する20種類ほどのアミノ酸組成もバランスが取れています。しかも、牛、豚に比べてエネルギーは約6割程度ですから、低脂肪高たんぱくの食材なのです。

かぜへの抵抗力を高めるビタミンA、代謝を促進するビタミンB群、抗酸化作用が強力なビタミンEも多く含まれます。また、ビタミンDの含有量が飛び抜けて多く、骨粗鬆症の予防におおいに役立ちます。

ハラスやイクラには、血液をきれいにして動脈硬化やボケを防止する不飽和脂肪酸のＥＰＡ（エイコサペンタエン酸）、ＤＨＡ（ドコサヘキサエン酸）が豊富です。氷頭《ひず》（鼻の軟骨）には、小腸での脂肪や糖の吸収を抑えて肥満防止に役立つ成分が多く含まれています。また、美容効果をもたらす成分も含みます。肌荒れ、メラニンの生成を抑え、また肌に弾力を与えて若々しい肌を保ちます。

鼻頭の軟骨が氷のように透きとおっていることから、「氷頭」と呼ばれています。一匹から微量しか取れない希少性の高い珍味です。北海道、青森県、岩手県、新潟県では薄切りにして塩と酢に漬け、大根と合わせて調味料で和えた「氷頭なます」という郷土料理として、正月の祝い膳で食べられています。

平安時代前期に、氷頭なますが朝廷に奉納された記録が残っています。日本人は古来、豊富な食経験を持っていたことがわかります。

鮭は、まさに究極の病気予防食と言えます。「薬食い」と言われるのもうなずけます。

卵のレシチンは、肌も血管もピチピチにする

中高年に敬遠されがちな食材のひとつに、卵があります。コレステロールが多い、という理由からです。

これは謬説《びゅう》として、今では**卵は血管年齢を若くする食材**として評価が一転しています。摂りすぎでなければ、血管障害の原因になる脂質異常症のリスクはないことがわかってきたのです。

卵はビタミンC以外の重要な栄養素をすべて含むため、**免疫力を高める「完全食品」**と見なされています。主食に野菜・果物および卵と牛乳のみを加える「ラクト・オボ・ベジタリアン（乳卵菜食主義）」は、健康食生活の典型とされています。

豊富に含まれるレシチンという卵黄リン脂質が、コレステロールの代謝を調節し

ます。レシチンには、逆にコレステロールの血管壁沈着を防ぎ、動脈硬化、脳卒中、狭心症などの予防効果があることも解明されています。

また、血液中の中性脂肪の量を調節する働きもあり、中年太りの原因になる内臓脂肪の蓄積を抑えます。つまり、レシチンは人生を壊す病の予防・改善におおいに貢献する成分なのです。

レシチンは、**若さを取り戻すうえで重要な役割**も果たします。新しい細胞をつくったり必要な栄養素を細胞内に取り込んで、たとえば、肌をみずみずしくしたりする働きをするのです。

脳や神経系の働きを活発にする働きもあり、「ブレインフード」とも呼ばれる脳の栄養素でもあります。

レシチンには脳や神経機能に不可欠な成分で、神経伝達物質のアセチルコリンの材料になるコリンが含まれています。アルツハイマー型認知症（ボケ）では、アセチルコリンが大幅に減少することが明らかになっています。レシチンは大豆にも豊富ですが、コリンの含有量は卵のほうが倍以上も勝っています。

近年、卵白に殺菌力、抗酸化力が備わっていることがわかってきています。卵に**80度以上の熱を加えると、抗酸化力がアップ**します。半熟が美味な温泉卵やオムレツは、卵焼き、ゆで卵よりも消化にも優れた健康料理なのです。

卵黄には、レチノールというビタミンAが多く含まれます。レチノールは動物性の食品のみに存在します。植物に含まれ、体内でビタミンAに変換されるβカロテンに比べて、吸収率が約3倍も高い栄養素です。

さまざまな化粧品に配合されていて、**しわやたるみ、そばかす、にきびの予防・改善に効果がある**ことで女性にはよく知られています。レチノールには、皮膚や粘膜の細胞を正常に保つ働きがあるのです。

このように、卵は、体全般に必要な栄養素をまんべんなく含み、病気になりにくい体をつくります。

さらには美容・ダイエット効果も期待できるため、生涯にわたって健康美をつくるうえで欠かせない食材です。

1日に1個は食べてよい食材です。

卵

40歳からの
体に効く食材⑬

卵

egg

**免疫力を高める
完全食品！**

主な栄養分

レシチン
たんぱく質
カルシウム
ビタミンA、B_1、B_2、E

最高の食べ合わせ
しじみ

「卵」のすごい効能

- 人生を壊す病を防ぐ
- 若さを取り戻す
- 脳を活性化する
- 殺菌力、抗酸化力が強い
- 美肌をつくる

納豆の「発酵パワー」で中年太りを撃退しよう

　発酵食品の筆頭格である納豆は脳卒中、心疾患、ガン、ボケ、骨粗鬆症、そして糖尿病と、**人生を壊す病すべてを予防する**パワフルな食べ物です。

「畑の肉」と呼ばれるほど栄養豊富な大豆の栄養素と発酵菌との合体によって、このうえない健康食品となっています。発酵の過程でさまざまな酵素が生み出されて、栄養価が高まるのです。

　そのひとつに、ＳＯＤ（スーパーオキサイドディスムターゼ）という、活性酸素を消去する酵素があります。

　また、血栓を溶かし血液をサラサラにする溶解酵素、ナットウキナーゼはよく知られています。

そのほかにも、でんぷん、たんぱく質、脂肪、食物繊維を分解する酵素もつくられます。これらの強力酵素は、食事で摂り入れたさまざまな栄養素を吸収しやすいかたちに分解して腸内環境を整えます。その結果、代謝が向上して免疫力も高まります。

納豆の原材料の大豆にはビタミンや抗酸化物質などさまざまな栄養素が含まれます。納豆製造に用いられる納豆菌が、これらの栄養素を格段にパワーアップします。おもな栄養素は次のとおりです。

●ビタミンK――大豆の124倍

出血したときに血液を固めて止血したり、骨の形成を促進したりします。血管の健康、骨粗鬆症予防に役立ちます。

●パントテン酸――大豆の12倍強

糖質、たんぱく質、脂肪の代謝とエネルギー産生に不可欠な酵素をサポート。コレステロールやホルモン合成にかかわり、皮膚や粘膜の健康維持を助けます。

●ビタミンB_2——大豆の6倍強

糖質、脂肪、タンパク質の代謝を支え、アルコールの分解をサポート。過酸化脂質の生成阻止、皮膚や粘膜の健康維持といった作用もあります。

●葉酸——大豆の3倍強

ビタミンB_{12}と協力し血液をつくります。脳卒中や心筋梗塞の予防効果に期待。不足すると、動脈硬化の原因になるホモシステインの血中濃度が高くなります。

●大豆イソフラボン——大豆の2倍強

美白作用、保湿性の向上といった肌の美容効果。女性ホルモンの分泌過剰、不足を整え、乳ガンなどの発ガンを防ぎます。また、カルシウムの溶出を防ぎ、骨密度を保ちます。閉経後の女性ホルモンの減少を補って骨粗鬆症を予防します。ＨＤＬコレステロールを増やし、ＬＤＬコレステロールを減らします。

欧米の研究者たちは、日本女性が欧米女性に比べて長寿で乳ガン、骨粗鬆症、更年期障害の発生率が低い理由に、イソフラボンを豊富に含む納豆、豆腐など大豆製

40歳からの
体に効く食材⑭

納豆
fermented soybeans

納豆

**強力な発酵パワーで
万病を防ぐ！**

主な栄養分

ビタミンB_1、B_2、E、K
パントテン酸
葉酸
大豆イソフラボン
食物繊維

最高の
食べ合わせ
長ねぎ

「納豆」のすごい効能

- 体の酸化を防ぐ
- 腸内環境を整える
- 代謝の向上
- 免疫力を高める
- 血液の若返り効果
- 美肌効果
- 乳ガン、骨粗鬆症を防ぐ
- 更年期障害を防ぐ

品の摂取量の多さを挙げています。

糖質の代謝を助けてエネルギー産生に重要な役割を果たす「**疲労回復ビタミン**」のビタミンB1、**冷え取り、抗酸化**の作用が強力なビタミンEも豊富です。納豆は、カルシウムも食物繊維も摂りやすい食品です。食物繊維は、1パックににんじん1本もの量が含まれています。

納豆菌は、ヨーグルトの乳酸菌と同じように**細菌を撲滅する強力な抗菌作用**を持っています。O157大腸菌の繁殖が納豆菌で完全に抑えられ、納豆を食べた24時間後には、10万分の1に減少することが証明されています。

納豆は代謝を向上させ、成長ホルモンの材料になるアミノ酸もあることから、**中年太りを防ぐのに欠かせない食べ物**と言えます。

発酵食品は熱に弱いので、あつあつのごはんではなく、ほどよい温かさになってから納豆をかけると、さまざまな酵素の恩恵を受けることができます。

発酵食品の仲間のみそ汁も同じで、みそは少し温度が下がったところで溶くようにします。

「高血圧、高血糖、高脂血」を防ぐ酢のすごい力

毎日、大さじ1杯の酢が、代謝のよい体をつくります。

酢に含まれるクエン酸、酢酸、りんご酸などが体内で莫大なエネルギーをつくりだすクエン酸回路をスムーズに回します。

激しい運動や重労働の後、**酢を摂ると筋肉内でのクエン酸回路が活性化してエネルギー（ATP）をつくるので、疲労が回復**します。酢は、高エネルギー食品なのです。疲労回復に必要な糖と一緒に摂れば、ぶどう糖が効率よく利用できます。

食酢は穀物酢、果実酢、米酢、黒酢などに分類されます。健康食品として注目されている黒酢は米酢などに比べて各種アミノ酸が豊富に含まれて、クエン酸の健康効果を補強しています。

酢に含まれる酢酸には、血管を拡張させる作用があり、高血圧改善に有効です。糖の吸収をゆるやかにし、食後の血糖値の上昇を緩和させる作用もあります。酢は血液をサラサラにし、体の隅々まで新陳代謝を促します。つまり、**細胞の若返りを早める効果がある**のです。

喫煙や揚げ物の食べすぎで血液内に脂質、活性酸素が増えると、赤血球の弾力が失われてしまいます。

また、白血球の表面粘度が高まって血液がドロドロになり、血流が悪くなります。それにつれて、動脈硬化のリスクが高まります。酢はそれを防ぐのです。

体脂肪の蓄積を抑えるとともに分解もして、内臓脂肪を落とす効果があります。

肉や魚介類を骨ごと、殻ごと酢を入れて煮ると、酢酸の作用で骨や殻からカルシウムが煮汁に溶け出し、通常よりも多く摂取できます。

殺菌・抗菌作用もあります。食塩と併用すると、その効果が強くなることが証明されています。

また、防腐効果もあります。コンビニなどで売られているおにぎりには2パーセント程度の酢が加えられていて、**18時間の防腐効果**が認められています。人間の味覚や嗅覚で識別できる酢の濃度は3パーセント以上なので、隠し味的効果で防腐作用を得ているのです。

古代ギリシャの医師で医学の祖とされるヒポクラテスは殺菌作用に着目して、酢を咽頭・気管支炎、疥癬《かいせん》、狂犬の噛みつき傷の手当などに用いています。古代エジプトの女王クレオパトラは、美容のために真珠入りの酢を常飲していたと伝えられています。

酢はなるべく毎日、摂るようにしましょう。酢が苦手な人でも、減塩のために少しずつ調味に使えば摂りやすくなります。1カ月ほど摂るのを止めていると、体は元の状態に戻ってしまいます。

40歳からの体に効く食材⑮

「酢」のすごい効能

- 血圧を下げる
- 血糖値の急上昇を防ぐ
- 高脂血を防ぐ
- 内臓脂肪を減らす
- カルシウム吸収アップ
- 殺菌・抗菌作用

最高の食べ合わせ
玉ねぎ

日本人の腸に「悪玉菌」が増殖しやすくなった理由

免疫力は、腸内環境に大きく左右されます。

小腸のリンパ組織パイエル板に、**全身の免疫細胞の6割以上が集中**しています。

免疫力は、大半が大腸に生息するさまざまな腸内細菌のバランスに依存しています。

腸内にはおよそ100種類以上、100兆個以上の菌類が生息しています。重量にすると、1〜1・5キロほどです。腸内細菌は私たちが食べたものの残りカスを餌にして、さまざまな物質を出しています。**体に都合がよい菌であれば善玉菌、悪いものだと悪玉菌**です。

善玉菌の代表は、ヨーグルトや発酵食品に用いられる乳酸菌です。

乳酸菌は、ビフィズス菌（乳酸菌とは別に分類する説もある）やブルガリア菌などの総称で、乳酸菌という名称の菌は存在しません。健康増進、老化抑制に大きく関係しています。

なかでも、**ビフィズス菌の増減が、腸内環境を左右します**。

ビフィズス菌は、食事で摂り込まれたオリゴ糖を分解して乳酸や酢酸をつくりだします。これらの酸が悪玉菌を排除して、善玉菌を増やします。

オリゴ糖は、よほどの偏食でないかぎり毎日の食生活で十分に摂取できている糖質です。

玉ねぎ、キャベツ、アスパラガス、じゃがいも、ごぼう、にんにく、とうもろこし、りんご、バナナ、大豆などの野菜や果物、そしてみそ、しょう油、納豆、豆腐にも多く含まれます。

腸内細菌というと、大腸菌を思い浮かべる人が多いと思います。大腸菌は、ウェルシュ菌とともに悪玉菌の代表格です。

悪玉菌は肉食、ストレス、老化などによって繁殖力が増します。腸内腐敗を促すとともに、毒素を発生して、大腸ガンをはじめさまざまな腸の病気を起こします。

また、血管を収縮させ、血流の流れを悪くするため、冷えやすくなります。血流が滞《とどこお》れば、リンパ球などの免疫細胞に栄養や酸素が十分に行きわたらなくなり、免疫細胞が体の隅々まで運ばれなくなります。つまり、免疫力が低下してしまうのです。

腸内細菌は、まるで草花の群生のようにして繁殖していきます。この群生は花畑にたとえられ、「腸内フローラ（細菌叢《そう》）」と呼ばれます。

毎日、この花畑では善玉菌と悪玉菌の勢力争いが繰り広げられています。

食の欧米化とともに野菜や果物、きのこ、海藻類に豊富な食物繊維の摂取量が減ったことで、**日本人の腸内は悪玉菌が増殖しやすい環境**になっています。

この意味でも、肉の摂取制限は大事なのです。

便秘も、悪玉菌を増やす大きな原因になります。

便は腸内で腐敗して毒素を出し続けますから、腸内環境を病気の温床に変えてしまうのです。

腸をきれいにする2つの方法

悪玉菌の多くは、酸を嫌います。乳酸をつくるビフィズス菌を増殖させれば、腸内環境は酸性に傾き、悪玉菌の繁殖が抑えられます。

善玉菌は、おもに食習慣の改善による2つの方法で増やします。

1、食事で善玉菌を繁殖させる
2、発酵食品を毎日摂って善玉菌を補充する

善玉菌はオリゴ糖や食物繊維を餌にして繁殖しますから、野菜、とくにブロッコリー、ほうれん草、小松菜、にんじんなどの緑黄色野菜、大根、ごぼうなどの根菜

類、そして果物をたくさん摂ります。これを善玉菌が生息するための環境づくりの意味で「プレバイオティクス」と呼びます。便秘の解消にも有効です。

もうひとつが、発酵食品を毎日摂って善玉菌を補充する「プロバイオティクス」と呼ばれるものです。プロバイオティクスは、人体に有用な働きをする微生物のことです。

ビフィズス菌がヨーグルトの常食で増殖し、腸内環境を整えることは知られています。これは、東大名誉教授の光岡知足《みつおかともたり》先生の50年来の研究によるものです。

先生は若いころ、ドイツ・西ベルリンに留学してビフィズス菌の研究に没頭しています。この間、毎日、プレーンヨーグルト５００ミリリットルの摂取を続け、身をもって**ヨーグルトの常食が健康増進に有効であることを実証**されています。以来、ヨーグルトの摂取を毎日の食習慣にし、80歳を超えた現在も２５０ミリリットルを常食されています。

私も50歳をすぎたころから、昼食を飲むヨーグルト５００ミリリットルにしています。

ヨーグルトの乳酸菌で「若くて強い体」をつくる

ヨーグルトの効用は、じつにさまざまです。

真っ先に挙げられるのが、乳酸菌の働きによる便秘の予防・解消の薬効。平安時代の日本最古の医書『医心方《いしんぼう》』に、「**発酵乳（ヨーグルトの原型）が体力の回復や便秘の解消に著効あり**」と記述されているほどです。

乳酸菌は、さまざまな毒性物質をつくりだす悪玉菌を減少させ、本来の腸の働きを保って抜群の効果を示します。2日以上の便秘の人は、今すぐに400ミリリットル以上のヨーグルトを摂ってみてください。たちどころに効くはずです。

近年、乳酸菌がガンの予防・改善や免疫力の向上に、おおいに効果を発揮していることが証明されています。

乳酸菌は胃潰瘍、十二指腸潰瘍、胃ガンの遠因になるピロリ菌の繁殖を抑える働きを持っています。腸粘膜や、胃粘膜の保護にも役立っています。

また、乳酸菌の働きによって、ガン細胞などを攻撃する免疫細胞・NK（ナチュラルキラー）細胞が活性化することもわかっています。

乳酸菌の多くは生きたままで腸に届きません。そのため、効力を疑問視するむきもありますが、現在では生きたまま腸に届く種類もあることがわかっています。

そもそも、生きた菌であろうと死んだ菌であろうと、**菌の体に含まれる成分（菌体成分）によって、腸に集まっている免疫細胞が刺激される**のです。

ヨーグルトはビタミンB群、カリウム、カルシウムなども豊富。美容、老化抑制、生活習慣病の予防・改善にもおおいに役立ち、**「きれいで強い体」をつくる食材**です。

さまざまな種類のヨーグルトがありますが、「カスピ海ヨーグルト」と「ブルガリアヨーグルト」で人気を二分しています。

乳酸菌には球形をした球菌と長細い形をした桿《かん》菌がありますが、どちらも球菌が

40歳からの
体に効く食材⑯

ヨーグルト

yogurt

乳酸菌の力で
腸をきれいにしよう！

主な栄養分

乳酸菌
ビタミンB群
カリウム
カルシウム

最高の食べ合わせ
ぶどう

「ヨーグルト」のすごい効能

- 便秘の予防・解消
- ガンの予防・改善
- 免疫力を高める
- 高い美容効果
- 生活習慣病の予防・改善
- 老化を防ぐ

主体です。丸い形状の点から1グラムあたりに含まれる乳酸菌の量が多くなり、乳酸菌の薬効も高まります。また、腐りにくく雑菌が繁殖しにくいのも特徴です。食べやすいほうを選べばよいでしょう。

40代からは、ぜひともヨーグルトを常食にして乳酸菌の補充を怠らないようにします。無糖のものを、果物と一緒に摂るとよいでしょう。

蜂蜜、オリゴ糖を少し入れると食べやすくなります。私は昼食に摂っていますが、便秘がちの人は毎朝の食卓にのせてほしいものです。

健全な腸内環境は、血液のめぐりを促します。血流がよくなることで酸素や栄養素が全身の細胞に行きわたり、体の冷えを防ぎます。

温かい体は、免疫細胞を活発化させます。免疫力を正常に保つには、食べ物で腸内環境を整えることが鍵となるのです。

4章

「7色の野菜パワー」で体の毒を捨てよう!

「活性酸素」を消す野菜の上手な食べ方

40歳前後ともなれば、多かれ少なかれ体は老化します。いかに老化の速度をゆるめるかが大切なのです。

老化の最大原因は、「活性酸素」です。

活性酸素は、酸素を用いてエネルギーがつくりだされる際に発生します。酸素よりも強力な酸化力を持ち、脳や肺に大量に生まれます。

過食や暴飲、激しい運動、喫煙、過度のストレス、大気汚染などの生活環境からも大量に発生します。本来はウイルスや細菌を殺して退治する働きをする有用な物質ですが、過剰発生の状態が続くと、悪玉化して体内毒素に変わります。

活性酸素は体内の脂肪（脂質）を酸化させ、万病の元になる「過酸化脂質」をつくります。いわば鉄が錆びるように、細胞や器官を錆びつかせてしまいます。この体が錆びついた状態（酸化ストレス）が、老化です。

体には、活性酸素を無毒化する消去酵素（SOD）があります。

しかし、その**消去酵素も、やはり40歳前後を境に生成量が減少しだします。**

体はうまくできていて、2つの食習慣が、消去酵素の減少を補います。

1、亜鉛、銅、マンガンなどのミネラルを摂る

2、抗酸化物質を多量に含む食材を毎食食べる

消去酵素はたんぱく質を材料にして、亜鉛、銅、マンガンなどのミネラルのサポートでつくられます。銅、マンガンは普通の食生活で欠乏することはないのですが、亜鉛は不足しがちです。亜鉛が豊富な牡蠣や納豆を摂るようにします。

抗酸化物質は「スカベンジャー」とも言って、ビタミンA、C、Eやフィトケミカル（植物に含まれる化学物質）と総称されるカロテノイド、ポリフェノールが代

表的です。

ビタミン群やフィトケミカルは、多種多様の野菜で摂ります。野菜は**「赤、橙、黄、緑、紫、黒、白」と7種類の色（レインボーフード）**に分けられます。それぞれ香りや苦みに個性があり、特有の効能を持つフィトケミカルがあります。フィトケミカルは果物にも豊富で、糖質、脂肪、たんぱく質、ビタミン、ミネラル、食物繊維に次いで、「第7の栄養素」として着目されています。

野菜は同じものばかりを食べるのではなく、**1日に4〜5色を目安**にして色で分けて食べれば偏りが少なくなります。

1週間単位で7色摂れているかを考えれば、習慣にするのは簡単です。

栄養素や酵素を壊さずに摂るには、生がベストです。汁物、蒸し物、砂糖を使わない煮物だと多くの量が摂れます。焼き物、油物は回数を少なくします。

野菜は毎食、摂ることが大事です。それも**夕食でたくさん摂って、体内のごみである活性酸素をその日のうちに掃除する**のです。

果物を毎日摂るのはむずかしい、という人は少なくないでしょう。ドライフルー

ツを含めて、果物の摂取を意識することが大切なのです。「まあ、食べているほうだ」といったレベルをまず目指しましょう。

果物は、できるだけ朝に食べます。果物に含まれる果糖は、即効性のあるエネルギー源です。「**朝の果物は金、昼の果物は銀、夜の果物は銅**」というとおり、朝に食べると体に活動のスイッチが入ります。夜だと、通常は寝るだけですから余ったエネルギーになり、体脂肪として溜め込まれます。

野菜や果物には強力な抗酸化作用だけでなく、ミネラルバランスを調整するカリウムが豊富です。また、滋養補給、整腸作用、免疫増強など病気の発生を防ぐさまざまな働きがあります。

野菜も果物もジュースにすれば、1度にたくさんの量が摂れます。朝に、200ミリリットルを飲むことを目標にします。ミックスにしても構いません。

ただし、つくる際にはミキサーでなくジューサー、それも低速式を使用します。低速だと栄養素や酵素を壊さずに摂取できるからです。ミキサーは、細胞を破壊して酸化を進めてしまいます。

「食べる精力剤」——トマトは男性の強い味方⁉

野菜、果物のなかでも抗酸化力が強いのがトマト。緑黄色野菜の王様にんじんよりもその効果が高いと言われています。

トマトをふんだんに食べる南イタリアでは、消化器系のガンの発生が少ないのです。このことに着目したイタリア国立ガン研究所とミラノ大学は、以前、トマトの摂取量と消化器ガンの相関関係を発表しました。

それによれば、1週間に5回以上トマトを食べるグループは2回しか食べないグループに比べ、**直腸ガンの発生率が半分、胃ガンは3分の1に減少していた**のです。

トマトの果皮や果肉は強力な抗酸化物質カロテノイドを代表する橙黄《とうこう》色のβカロテン、真っ赤なリコピンをたっぷり含んでいます。これらの抗酸化物質は、とくに

40代からの体を甦らせる効果を発揮します。

βカロテンはニンジン、ブロッコリーなどの緑黄色野菜に豊富で、老化を防止し肌、髪、爪を健康に保つといった効能を持ちます。体内で必要な量だけのビタミンAに変換されることから、プロビタミンAとも呼ばれます。

美容の効果も大きく、たとえばしみ、そばかすを予防します。しみ、そばかすの原因となるメラニン色素は、紫外線によって発生した活性酸素の影響で増えます。βカロテンには、その活性酸素を無毒化してメラニン色素の生成を抑える働きがあるのです。

ビタミンAの効能に、皮膚の粘膜を形成したり肌の角質化を防いだりする作用がありますから、βカロテンは肌荒れ、乾燥肌を防止して**きめ細かい美肌をつくるスーパー美容薬**と言えるでしょう。

しわや吹き出物の対策にも、欠かせない成分です。

一方、リコピンも強力に老化を抑えますが、βカロテンの2倍以上もある効力で発ガンを防いだりしてほかの生活習慣病も予防・改善します。

40歳からの
体に効く食材 ⑰

トマト

tomato

「精力剤」と言われるほどの強壮効果！

1日1個で
医者いらず！

真っ赤な果皮、
果肉は、
抗酸化成分が
たっぷり！

主な栄養分

βカロテン
リコピン
ビタミンC、B_6
カリウム

最高の食べ合わせ

りんご

「トマト」のすごい効能

- 老化を防ぐ
- 美肌・美白効果
- ガンを防ぐ
- 生活習慣病を予防・改善
- 精力増強

トマトを食べた後のβカロテン、リコピンの体内分布を見ると、ともに肝臓、副腎（全身に影響を与えるホルモンを多種分泌する器官）、睾丸などの臓器に大量に存在しています。

これらの新陳代謝が盛んな臓器での抗酸化作用に、βカロテン、リコピンが大きくかかわっていることを示しています。

この理由から、じつは「**トマトは精力剤**」とも言われているのです。また、トマトの常食、で前立腺ガンの発生率が減少することも報告されています。

トマトは、**男の人生後半を支える食材**でもあるのです。

南イタリアの食事は、世界3大健康食のひとつの地中海料理。トマトなどの野菜と魚介を中心にした料理（シーフード・ベジタブル）は、βカロテン、リコピンだけでなくさまざまな栄養素をバランスよく摂ることができます。

トマトを使ったパスタ料理は、良質な健康食であることから「黄金料理」と言われています。

その食材の小麦粉、オリーブ油、トマトもそれぞれ「黄金」にたとえられます。

ビタミンEなど胚芽成分が豊富な小麦粉は「黄金の穂」――。

オレイン酸などの不飽和脂肪酸を多量に含むオリーブ油は「黄金の液体」――。

そして、トマトはイタリア名で「ポモドーロ」と言い、「**黄金のリンゴ**」を意味します。

リコピンは熱に強く、また油に溶けると吸収率がよくなります。

トマトを使ったパスタやパエリア（海鮮炊き込みごはん）、ブイヤベース（海鮮煮込み）などは、地中海料理を代表する栄養たっぷりの「シーフード・ベジタブル」なのです。

イギリスに「**トマトが赤くなる（熟す）と医者は青くなる**」という俗諺があるほど、トマトもリンゴと同じく「医者いらず」の優れた健康食材。

私も夏場にはわが身を守らんと、昼食やおやつに真っ赤なトマトをほおばっています。

ブロッコリーの抗酸化力は、まさに野菜の王様！

トマト、にんじんなどの緑黄色野菜は抗酸化力が強い食材です。なかでもブロッコリーは、最近、老化を防ぐ野菜の代表と注目されています。

ブロッコリーは、２００種類以上のフィトケミカルを含み、緑黄色野菜の王様にんじんを超えた「**野菜の王様**」とも言われています。

ブロッコリーに豊富なフィトケミカルのクロロフィル（葉緑素）は、強力な抗酸化作用とともに血中のＬＤＬコレステロール値を下げ、ＨＤＬコレステロールを増やします。

野菜としては多いたんぱく質が、免疫力向上に寄与します。

ブロッコリーはビタミンＡ、Ｃ、Ｅを多く含みます。とくにビタミンＣはレモン

40歳からの
体に効く食材⑱

ブロッコリー

broccoli

**200種類以上の
フィトケミカルを含む
野菜の王様！**

主な栄養分

ビタミンA、C、E
クロロフィル
カルシウム
カリウム
食物繊維

最高の
食べ合わせ
オリーブ油

「ブロッコリー」のすごい効能

- 血中のコレステロール値を下げる
- 免疫力が高まる
- ガンを防ぐ
- 代謝促進
- 骨の強化
- 血圧の安定化
- 便秘の解消

の2倍もあり、かぜやガンの予防に効果があります。

また、細胞と細胞をつなぐコラーゲンの生成にかかわって、皮膚や血管を丈夫にします。

しみ、そばかすを防ぐ美容効果もあります。代謝を向上させるビタミンB群も豊富なので**細胞レベルから体を甦らせてくれる**のです。

カルシウム、カリウムなどのミネラルも多く、骨を丈夫にしたり血圧を安定させます。貧血を防ぐ鉄、インスリンの働きを助けるクロムなども豊富です。

食物繊維も豊富ですから、便秘の解消に欠かせない食材です。

野菜は生で食べるのがベストですが、体を冷やす心配があります。

しかし、ブロッコリーはゆでたりして熱を加えて食べられますから、その心配はありません。ゆでるとビタミンCが多少流出しますが、さまざまな栄養素の恩恵を十分に受けることができます。

ブロッコリー特有のフィトケミカルとして注目されているのが、「スプラウト（新芽）」に含まれる辛み成分。

この辛み成分は体内で「スルフォラファン」という物質に変化し、発ガン物質を解毒する酵素や活性酸素の消去酵素を活性化させます。ピロリ菌を減らす効果があることもわかってきています。

特筆すべきは、**強力な抗酸化力とともに、その効力の持続性**。ほかの抗酸化栄養素は効力が1日も持たないのですが、ブロッコリーのスプラウトを週に2回も食べれば継続した効果が期待できます。スルフォラファンが、成熟したブロッコリーの約8倍も存在しています。まさに、**「老い知らずの体」をつくる食材**なのです。

スルフォラファンを生む成分は大根やキャベツ、カリフラワーなどアブラナ科の野菜に含まれます。

スルフォラファンには、肝臓の解毒作用を促進する働きがあります。肝臓の本来の力を引き出し、食事や呼吸で体内に取り込まれた有害物質を解毒する酵素を活性化するのです。二日酔いの原因物質、アセトアルデヒドの分解を促すことも明らかになっています。

にんじんは、まるごと「若返り栄養素」のかたまり

「赤くて温まるもの」――。緑黄色野菜の王様と謳《うた》われるにんじんの学名、ギリシャ語「Daucus Carota《ダウカス カロータ》」の意味です。

にんじんに大量に含まれるβカロテンが活性酸素を除去することで免疫力が上がり、血液のめぐりが改善されます。その結果、体はポカポカと温まります。にんじんの英名「キャロット」は、βカロテンが語源なのです。

βカロテンは強力な抗酸化作用だけでなく、**アンチエイジング全般に高い効果**を発揮し、人生後半の体を支えます。

にんじんの活発な抗酸化作用は、免疫力を上げるとともに細胞が傷つけられるのを防ぎ、発ガンを抑制します。また、ＬＤＬコレステロールの酸化を抑えて動脈硬

40歳からの体に効く食材⑲

にんじん

carrot

血液サラサラ、体ポカポカ！

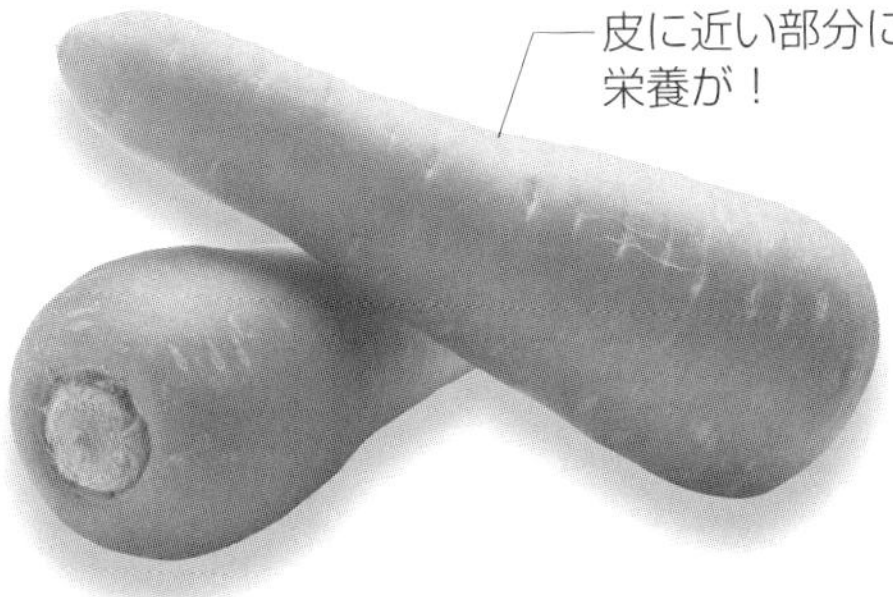

主な栄養分

βカロテン
ビタミンB群、C
カリウム
カルシウム、鉄

最高の食べ合わせ

ごぼう

「にんじん」のすごい効能

- ガンを防ぐ
- ＬＤＬコレステロールの酸化を抑制
- ボケを防ぐ
- 美肌効果

化を防ぎ、心疾患のリスクを低減させます。近年、βカロテンに脳の認知機能を高める働きがあることが明らかにされつつあり、ボケ予防の効果も注目されています。

βカロテンには、アンチエイジングに欠かせない美肌作用もあります。紫外線による肌の老化、しわやしみ、そばかす、たるみを防いだり、皮膚の新陳代謝を盛んにします。また、疲れ目の回復や視力低下、白内障の予防にも効果を上げます。

にんじんは、まるごと**生活習慣病の予防に最適な食材**。B群、Cなどのビタミン、鉄、カリウム、カルシウムなどのミネラル、食物繊維をたっぷり含みます。

βカロテンは、皮に近い部分に多く含まれます。皮は薄く剝《む》き、その皮をきんぴらにすればにんじんの栄養素を余すことなく摂れます。

にんじんを食べる際は、生よりも熱を加えます。とくに、**βカロテンは油を使って調理すると吸収率力が3～10倍も高まる**とされています。

生だと、βカロテンは摂れても、含まれる酵素（アスコルビナーゼ）によってビタミンCが壊されてしまいます。この酵素は熱に弱いので、加熱すればビタミンCを壊す作用はなくなります。

キャベツ――古代ギリシャから今に伝わる万能食材

古代ギリシャでは、キャベツを万能薬として盛んに用いていました。

大数学者ピタゴラス、医聖ヒポクラテスはとくに好んで常食し、ピタゴラスは90歳、ヒポクラテスは83歳の天寿を全うしました。当時としては大変な長寿です。

アメリカの国民栄養指導指針、「デザイナーズフーズ・プログラム」によると、キャベツはにんにくと並んでガン抑制効果食材の第1位に挙げられています。

キャベツはブロッコリーやカリフラワー、ケール、ルッコラそして大根と同じアブラナ科の野菜。色、形状が似ているレタスはサラダ菜と同じ仲間でキク科です。

「甘藍《かんらん》」という別名を持つキャベツは甘味成分（糖質）が豊富で、含まれる栄養素は、食物繊維に葉酸、ビタミンC、K、Uと特徴的です。

納豆にも多く含まれるビタミンKは出血の際に血液を固めて止血する作用があり、骨の健康維持にも欠かせないビタミンです。

葉酸はビタミンB群の一種で、血液の健康に重要な役割を果たします。

特筆すべき成分は、一般には**キャベジンの名称で知られるビタミンU**。ビタミンと名称がついていますが、じつはアミノ酸の一種でビタミンと同じような重要な働きをするビタミン様物質です。

胃や十二指腸の潰瘍の修復を行なったり、その予防に威力を発揮したりします。古来、ヨーロッパでは胃潰瘍や胃弱者にキャベツのしぼり汁を飲ませて治療する民間療法があります。

ビタミンUの発見は、この民間療法から生まれています。

キャベツは新鮮野菜の代表で、1年を通じて大量に生産されています。日常食にはもってこいの健康食材なのです。

生だけでなく、ロールキャベツやザワークラウト（ドイツ料理の酢漬けキャベツ）など温野菜料理としても食べやすく、広く親しまれています。

40歳からの
体に効く食材⑳

キャベツ

cabbage

キャベジン——
胃腸にやさしい野菜

生でも温めても
栄養バツグン！

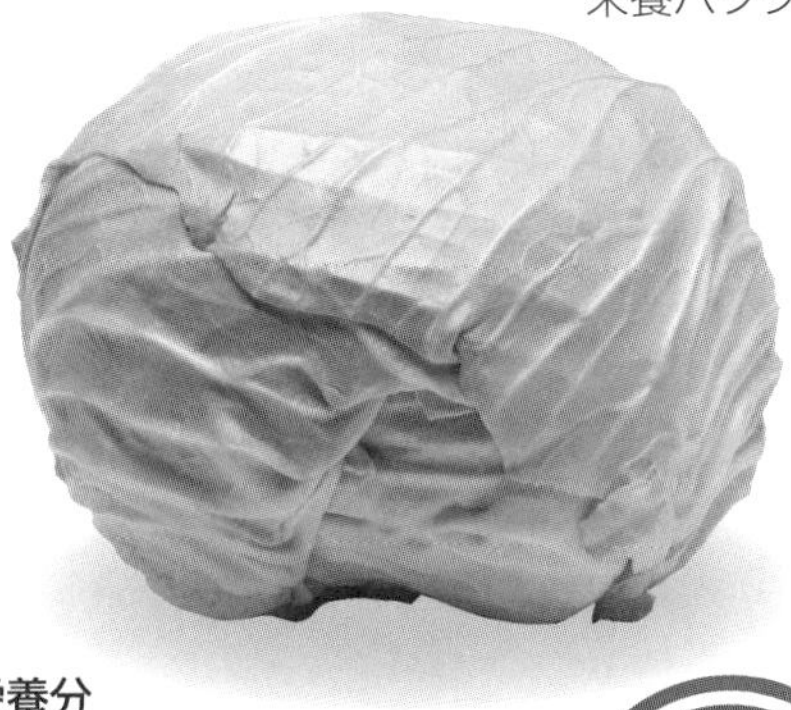

主な栄養分

食物繊維
葉酸
ビタミンC、K、U

最高の食べ合わせ
グレープフルーツ

「キャベツ」のすごい効能

- 血液をサラサラにする
- 老化を防ぐ
- 胃腸を強くする

玉ねぎの「デトックス効果」で肌がツヤツヤに！

古代エジプトで、ピラミッド建設に従事する労働者がにんにく、かぶとともにスタミナ補給源にしていたのが玉ねぎです。

玉ねぎは野菜のなかでもっとも糖質が多く、ほとんどがエネルギー源として使われ、**疲労回復に重要な役割**を果たします。

糖質が体内でエネルギーに変わるのを助けるビタミンB1と一緒に摂ると、代謝が向上し、疲労、食欲不振、精神不安定、精力減退、不眠が改善します。夏バテ気味なときには、ビタミンB1が豊富な**豚肉と組み合わせて食べると疲労回復に効果的**です。代謝がよくなりますから、冷え性が解消したり体脂肪の燃焼も盛んになります。

独特の辛みと香りは、硫化アリルというフィトケミカルです。「**体の若さは血管**

40歳からの
体に効く食材 ㉑

玉ねぎ

onion

血管の若さをつくる
エネルギー源！

切ってから
15分置くと
栄養成分が安定。

主な栄養分

硫化アリル
糖質
ビタミンB_1、B_2、C
カルシウム
カリウム

最高の
食べ合わせ
豚肉

「玉ねぎ」のすごい効能

- 精力増強
- 動脈硬化を防ぐ
- 高血圧予防
- 血糖値を下げる
- 解毒作用で発ガンを抑える

の若さ」と言われますが、硫化アリルには血管を若返らす作用があります。抗酸化力も強く、人生を壊す病をはじめとした生活習慣病を予防する働きもあります。

硫化アリルには、血液をサラサラにする働きがあります。このことで血管が若返って弾力を取り戻し、動脈硬化や高血圧を防ぎます。

また、血糖値を下げ、糖尿病のリスクを下げる作用もあります。

発ガン物質を除去する働き（デトックス＝解毒）もあります。デトックスは新陳代謝を盛んにしたり便秘を解消したりして、美肌づくりに効果を上げます。

最近、玉ねぎの外皮に多く含まれるフィトケミカルのケルセチンにも、デトックス効果があると認められています。ケルセチンは脂肪の吸収抑制効果が高く、過剰な体脂肪を排出するのを助けます。有害金属のカドミウムや水銀などは脂肪に取り込まれやすいのですが、ケルセチンにはこれらの物質が脂肪に取り込まれるのを防ぐ働きがあるのです。

玉ねぎは生で食べる場合も加熱して食べる場合も、**切ってからそのまま15分ほど置いておくと栄養成分が安定する**と言われています。

「豆腐をよく食べる女性」は、乳ガンにならない？

欧米の女性に比べ、日本の女性の更年期障害は比較的軽く、骨粗鬆症による骨折が少ない、というのが定説になっています。

その大きな理由に、大豆イソフラボンの摂取が挙げられます。イソフラボンには、女性ホルモン（エストロゲン）と似た作用があるからです。**大豆イソフラボンは、抗酸化作用を持つポリフェノールの一種**で、大豆の胚芽に相当する胚軸に多く含まれ、苦みや香りを醸し出します。

更年期障害は、女性ホルモンの分泌低下を原因にします。女性ホルモンには、骨からカルシウムが溶け出すのを防ぐ働きもあるため、分泌量が減少すると骨粗鬆症になる危険性があります。この予防に、大豆イソフラボンが威力を発揮します。

大豆は女性のためだけの食材ではなく、古くから「畑の肉」と謳われてきました。豆腐をはじめとして納豆、みそ、しょう油、豆乳、湯葉、油揚げなどに利用されるほか、きなこ、大豆油などに加工され、日本人の生活に密着した大切な食材です。

大豆の栄養素は豊富なたんぱく質がおよそ3割強、脂肪2割、炭水化物3割弱と3大栄養素がバランスよく構成されています。また、イソフラボン、レシチン、サポニンなどの機能性栄養素が含まれていますから、健康を増進する数多くの働きがあります。加えて多種多様なビタミンやカリウム、鉄などのミネラルも豊富。

家森京都大学名誉教授は、大豆たんぱくにコレステロール低下作用があるばかりでなく、イソフラボンが血圧を下げたり血液が固まる（血栓）のを防いだりすることも見いだし、大豆食による脳卒中や心筋梗塞の予防を力説されています。アメリカＦＤＡ（食品医薬品局）はこの研究成果を高く評価し、大豆製品の商品ラベルに「心疾患のリスク低減に有効」との表示を勧告しています。

レシチンは卵にもたっぷり含まれる脂質で、記憶や思考などの脳の働きを支え、ボケ予防に必須の栄養素です。

40歳からの
体に効く食材㉒

豆腐
tofu

高たんぱく、低カロリーの健康食！

主な栄養分

たんぱく質
イソフラボン
カリウム
レシチン
カルシウム

最高の食べ合わせ
若布《わかめ》

「豆腐」のすごい効能

- コレステロールを下げる
- 脳卒中、心筋梗塞を防ぐ
- ボケを防ぐ
- 強力な抗酸化作用
- 優れた免疫力
- 肥満の予防・解消
- 血流の改善
- 効果の高い発ガン抑制

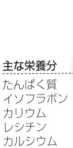

サポニンは、胚軸に多く含まれる苦みや渋みの成分。強力な抗酸化作用、免疫賦活作用を持つため、病気の大半に有効性を発揮する優れもの。肥満の予防・解消、血流の改善などの働きもあります。ガン治療の漢方薬に共通して含まれる成分でもあり、朝鮮人参、田七人参《でんしちにんじん》、甘草などにも豊富です。

大豆は、ガン抑制効果のある食材のなかでにんにく、キャベツと並んでトップクラスに入る優れものの健康食材です。乳ガン、前立腺ガン、大腸ガンの発生を防止することが最近の研究で明らかになっています。

「1日に豆腐を2丁食べれば、乳ガンや前立腺ガンを8割がた予防できる」

家森先生は毎日の大豆食を推奨しています。毎日「豆腐2丁」を食べるのは大変です。豆腐のほかに、納豆、みそ、しょう油、豆乳、高野豆腐、そして枝豆など大豆製品は多種多様ですから、意識してふんだんに摂るようにします。

アメリカ栄養士会は、「乳ガンの予防に大豆を摂取するには、10代がとくに大事な時期」と指摘しています。10代の娘さんを持つお母さんは、食習慣に大豆製品を取り入れましょう。大豆は、まさに「**女の一生を支える食材**」と言えるのです。

ぶどうは「果物ではなく栄養剤です！」

医療で、疲労回復目的にぶどう糖を注射することがあります。ぶどう糖は非常に吸収されやすく、疲労時に摂るとすぐにエネルギーが得られるからです。

このぶどう糖を甘味の主成分にするのが、果物のぶどう。ぶどうは、糖、各種ポリフェノールを多量に含みます。

甘味の主成分は、ぶどう糖と果糖。これらは摂取するとたちまち吸収され、代謝をスムーズにし、最短時間で細胞エネルギーになります。

豊富に含むタンニン、カテキン、アントシアニン、フラボノイド、レスベラトロールなどの**ポリフェノール類は抗酸化力が強力**です。活性酸素の発生を抑えて、発ガンや動脈硬化の原因になるＬＤＬコレステロールの酸化を防ぎます。

抗酸化作用により、毛細血管の通りがよくなり、血圧や血糖がほどよく調節されます。ぶどうをはじめとする**果物類は血糖値上昇がゆるやか**ですから、高血糖気味の人は白米や食パンではなく、果物や玄米から糖質を摂ることで改善がはかれます。最近注目されているポリフェノールが、レスベラトロール。細胞の酸化を防ぎ、老化を抑制します。

また、寿命を延ばすとされる**長寿遺伝子（サーチュイン遺伝子）を活性化**します。

赤ワインは、ポリフェノール効果で健康によい酒と広く親しまれています。

実際、フランス人はチーズやフォアグラなどの高脂肪食を食べ、心疾患リスクが高いにもかかわらず、**心筋梗塞での死亡率はヨーロッパ諸国でもっとも低い**のです。赤ワインに含まれるぶどうの皮や実にあるタンニン、アントシアニンなどのポリフェノールがLDLコレステロールの酸化を抑えているからです。

多量のカリウムは、ナトリウム（塩分）を体外に排出させて血圧を安定させます。酸味の素のクエン酸やりんご酸は胃液の分泌を促し、食欲を増進させます。

ほかにもB群、C、Eなどのビタミン、鉄、カルシウム、マグネシウム、ヨウ素

40歳からの
体に効く食材㉓

ぶどう

grape

**１粒に栄養が凝縮！
究極のアンチエイジング・フルーツ！**

主な栄養分

ぶどう糖
果糖
ポリフェノール
ビタミンB、C、E

最高の食べ合わせ
キウイ

「ぶどう」のすごい効能

- 代謝の向上
- 血圧安定
- 酸化を防ぐ
- 食欲増進

などのミネラルが豊富に含まれていて、**果物というよりも「栄養剤」**と言ってもよいでしょう。

ぶどうは、紀元前3000年の古代エジプト時代から栽培されていました。日本には平安時代に伝えられています。洋の東西を問わず、ぶどうは古くから親しまれている果物です。

ヨーロッパでは、その栄養価の高さから「畑のミルク」と呼ばれています。

イギリスや東欧では、デザートやおやつに食べるだけでなく、熟したぶどうのジュースは「MUST《マスト》」と呼ばれ、疲労回復、不眠症、むくみの妙薬として親しまれています。

ドイツ、オーストリアなどの自然療法病院で、ぶどうの収穫期にぶどうだけを食べて肥満、高血圧、心疾患などの改善をはかる「ぶどう療法」が行なわれています。

ぶどうは**りんご、レモンとともに、私がたどりついたアンチエイジングの要**となる果物です。

ゴマ――魔法の食材の正しい食べ方

古来、健康によいとされるゴマは、漢方では**滋養強壮の食べ物**とされ、老化防止、白髪予防の特効薬として親しまれています。

その作用を持つのが、抗酸化物質ゴマリグナン。セサミン、セサミノールなどの成分の総称で、人生を壊す病の予防に高い効力を発揮します。

ゴマリグナンは細胞にとって有害な過酸化脂質の生成を防ぎ、細胞の老化、ガンの芽（ガン細胞）の発生を抑えます。また、ＬＤＬコレステロールの生成を抑制することから、動脈硬化予防に効果を発揮します。

さらに、脂肪の代謝をスムーズにする作用もあり、肝臓の働きを助けます。漢方でも、ゴマは**肝臓や腎臓の働きを補う優れもの**とされています。

セサミンは、肝臓のためにある抗酸化物質と言われています。通常、抗酸化物質は、おもに食物が消化・吸収されて肝臓に運ばれる過程で、血液中に生まれた活性酸素を取りのぞきます。ところが、セサミンは肝臓でしかパワーを発揮しません。まるで、満を持して活性酸素に戦いを挑むかのようです。

ゴマの成分の2割は、たんぱく質です。たんぱく質には、抑うつ状態の改善に即効性のあるメチオニン、**「幸福ホルモン」と呼ばれるセロトニン**の原料になるトリプトファンなどの必須アミノ酸がバランスよく含まれています。

セロトニンは、気持ちを静めて穏やかにしてくれます。この作用で脳内をストレスが生まれにくい環境にするのです。トリプトファンは、脳を活性化するホルモンの合成にもかかわっています。

小さなゴマですが、その3割はビタミンB群、E、カルシウム、カリウム、亜鉛、鉄、食物繊維で構成されています。

ゴマリグナンには、大豆に含まれるイソフラボンと同じく女性ホルモンと似た働きもあります。ゴマには更年期の**女性のホルモンバランスを整え**、更年期障害を改善する効果があるのです。

「**ゴマの効果は3日ほど持続する**」と言われています。

スプーン半分から１杯程度を、週２回摂るとよいでしょう。ゆでたブロッコリーなどの緑黄色野菜に振りかけて食べれば、野菜のβカロテンが吸収しやすくなります。また、ビタミンCがゴマの鉄分の吸収を高めます。

ゴマは外皮が固く、そのままでは体の中を素通りしていくだけで、栄養も効能もうまく生かせません。すりつぶすなど、消化しやすい形にして利用します。すったゴマをごはんや和え物などにかけて常食するのも、手軽で効果的な方法です。

小さなゴマの大きな魔法――。人生後半の体を支えるのに欠かせない食材のひとつです。

40歳からの
体に効く食材㉔

「ゴマ」のすごい効能

- 抗老化作用
- 抗ガン化作用
- 肝臓の働きを助ける
- ＬＤＬコレステロール生成を抑える

最高の
食べ合わせ
鮪《まぐろ》

緑茶を飲む人、飲まない人——胃ガン発生率の差

緑茶でうがい——。

最近、広く知られるようになったインフルエンザやかぜの予防法です。これは緑茶独特の渋みを出す、カテキンの効果によるものです。

ポリフェノールの一種であるカテキンには、抗酸化作用のほかに、食中毒を引き起こす悪玉菌の撃退におおいに効果があります。すしに「あがり（濃い煎茶）」がつきものなのは、こうした理由からです。

抗ウイルス作用もあることから、静岡県立大学ではインフルエンザ予防に緑茶のうがいをすすめています。

静岡県立大学の調査によると、茶の産地で**緑茶をよく飲む習慣がある地域の住民**

のピロリ菌陽性率が低く、胃ガンの発生率は全国平均の半分であったことが明らかになっています。

しかし、同じ静岡県内でも、茶の産地ではなく駿河湾に面した**漁業の盛んな地域の胃ガン発生率は全国平均の1・5倍**もあったと報告されています。同一県内でも、3倍もの差があります。

茶の産地では、茶葉を頻繁に取り替え、緑茶を飲む回数も多いことがわかっています。

緑茶には、ビタミンCが豊富です。カテキンもビタミンCも、一煎《いっせん》めで約6割も抽出されます。

埼玉県秩父地方には「**朝のお茶は難逃れ**」のいい伝えがあり、どの家庭でも朝に緑茶を飲んだり客に振る舞う風習が残っています。ほかの地方にも、「**朝茶は三里帰っても飲め**」といった俗諺もあります。

40歳からの体に効く食材㉕

「緑茶」のすごい効能

- 抗菌・抗ウイルス作用
- 食中毒を防ぐ
- 抗ガン作用

最高の食べ合わせ
梅干

水分は代謝に不可欠で、成人では1日2リットル前後の出し入れが必要です。心不全や腎障害でもないかぎり、1リットル以上の水分を摂ったほうがよいでしょう。これは緑茶6杯分に相当しますが、静岡県の推奨どおり、私も実践しています。

水分を十分に摂ると尿量が増えて薄めの尿がたくさん出ますから、腎臓結石や膀胱炎など尿路系の病気を遠ざけることになります。

煎じて1時間以上経った出がらし茶は、含まれているアミノ酸などのたんぱく成分が変性するので飲まないほうが無難です。

「**宵越しの茶は飲むな**」のたとえどおりです。

同じ茶類の紅茶、あるいはコーヒー、ココア類をたしなむ国々では胃ガンにかかる人が極端に少ないことがわかっています。これらが、ピロリ菌抑制などに役立つ健胃剤となっているからでしょう。

緑茶の成分はカテキン以外にも糖質、たんぱく質、ビタミン、ミネラル、カフェインが豊富で、動脈硬化を防いだり高血圧を予防したりする効果を発揮します。クロロフィルやフッ素も含み、ガンや虫歯予防に役立ちます。

最近、注目されているテアニンというアミノ酸に、精神の安定をもたらす働きがあることがわかりました。まさしく、「**お茶は万能薬**」なのです。

40歳をすぎた体は、活性酸素が発生しやすい体内環境に変わります。この活性酸素への対処が、大きな課題です。

その日に出た体内のごみは、その日のうちに掃除する。これが、活性酸素対処の鉄則です。

5章

「血管年齢」が10歳若くなる食べ方

「血管年齢」が若くなる油、老ける油

若さとは、健康な血管、健康な血液から生まれます。しなやかな血管、サラサラな血液があるからこそ、酸素や栄養物を体のすみずみまで運ぶことができるのです。

血管も血液も、歳を取れば老化します。**硬くなった血管、ドロドロの血液**と言えば、わかりやすいのではないでしょうか。

血圧、血糖、ＬＤＬ（悪玉）コレステロール、そして、中性脂肪などの脂質の数値が上昇すると、血管の内側が傷ついてしまいます。しだいに血管は厚く硬くなって、詰まりやすくなります。これが動脈硬化です。

コレステロールや中性脂肪、牛や豚などの動物性食材に多く含まれる脂肪酸（油

脂）を摂りすぎると、血流が悪くなり、ドロドロの血液になります。ドロドロの血液とは、毛細血管などの細い部分の通りが悪くなった血流の状態を言います。

過剰なコレステロールや中性脂肪によって膜が硬くなった赤血球は、血管の内径に合わせて形を変えられなくなります。また、血液が固まりやすくなってしまいますから、血流が悪くなるのです。

血管・血液を若くするためには、どうすればよいでしょうか。

その**鍵を握るのが「脂肪酸」**です。脂肪酸には、常温で固まりやすい「飽和脂肪酸」と、固まりにくい「不飽和脂肪酸」があります。

飽和脂肪酸は牛脂（ヘット）、豚脂（ラード）、バターなどの動物性脂肪に多く含まれます。コレステロールや中性脂肪を増やすので、摂りすぎは避けたい油脂です。

不飽和脂肪酸は、魚介類や植物に多い油脂です。植物油は、食用油として料理に幅広く使われます。化学構造からオメガ3系、オメガ6系、オメガ9系に分類されます。いずれも、体に必要な油脂です。

なかでも、**若い血管、健康な血液づくりにおおいにかかわるのがオメガ3系**。代表的なのが、鮭や青魚に多いＥＰＡとＤＨＡです。動脈硬化予防にいちじるしい効果があります。

植物油では亜麻仁《アマニ》油、エゴマ油などの成分のリノレン酸。ＬＤＬコレステロール値を下げることから、心疾患のリスクを低減させます。

ただ、**オメガ3系の植物油は熱を加えると酸化しやすい**という欠点があります。冷蔵庫で保存をしてサラダのドレッシングに使うなど、生食で摂るようにします。

オメガ9系はオリーブ油、キャノーラ（菜種）油などの植物油、ナッツ類に多く含まれるオレイン酸。抗酸化成分が多く、不飽和脂肪酸のなかでもっとも酸化されにくい健康的な油脂です。とくに、オリーブ油に大量に含まれます。

かつて、動物性脂肪より植物油のほうが健康によいとされていました。そのため、オメガ6系のリノール酸を多く含む大豆油、紅花油、コーン油、綿実油などは現在でも揚げ物や炒め物によく使われています。

しかし、ＬＤＬコレステロール値を下げる作用があるものの、リノール酸は酸化されやすく、かえって酸化ＬＤＬコレステロールという超悪玉に変えてしまう危険性があるのです。今では摂りすぎに注意が必要な油と言えます。

料理に用いる食用油の1日の必要摂取量は、**健康な人なら大さじ2杯までが目安**。摂りすぎに気をつけながら、3種類のオメガ系油脂をバランスよく摂っていれば問題はありません。

とくに、リノレン酸とのバランスが大事で、摂取比率がリノレン酸1に対してリノール酸は2というのが理想と言われています。

ところが、オメガ6系のリノール酸が過剰摂取になっています。魚離れと加工食品、スナック菓子などの食べすぎに一因があります。リノール酸の過剰摂取が心疾患、動脈硬化、ガンの増加や脳の機能低下につながっていると考えられています。

マーガリンもバターより健康的と言われますが、製造過程で心筋梗塞や発ガンなどの要因になるトランス脂肪酸が発生するため、できるだけ避けたい油脂です。なるべくオメガ3系の食用油を摂りたいのですが、脂肪であることにかわりはありません。摂りすぎは肥満や健康障害につながります。

まずは、**加工食品、スナック菓子を減らすことが肝心**です。

鯵、鰯、秋刀魚……「青魚」は脳も体も若くする！

青魚は、健康食材として世界中から注目されています。良質のたんぱく質、カルシウム、鉄などのミネラル、不飽和脂肪酸に富む栄養素の宝庫です。

注目したいのは、不飽和脂肪酸のEPAとDHA。血液・血管の若返りや人生を壊す病の予防・改善に大きく貢献しますから、まさに、**アンチエイジングに必須の油脂**です。

EPA、DHAは鮭とともに鯵《あじ》、鰯《いわし》、鯖《さば》、秋刀魚《さんま》、鰤《ぶり》などの青背の魚（青魚）にも豊富で、血液の流れをサラサラにして心筋梗塞や脳梗塞などを防ぎます。

ガンの発症を減らす効果もあり、**青魚は人生を壊す病を予防・改善する大事な食材**です。ちなみに、「鰯」の語源は豊富な脂分に由来します。鰯は鯵の3倍量の不飽和脂肪酸を含んでいますが、その分、酸化して傷《いた》みやすいからなのです。

青魚のEPAやDHAが注目されるようになったのは、グリーンランドに住むイヌイット族についての研究報告からです。

イヌイット族は、野菜や果物が乏しい環境でアザラシや魚しか食べないにもかかわらず、心筋梗塞の発生率が低いです。その理由は、魚を常食にしているからだと結論づけられたのです。

「魚を食べると頭がよくなる」と言われます。1989年、イギリスの脳栄養化学研究所のクロフォード博士が、脳の働きを高める魚の効果を世界ではじめて指摘しました。DHAが脳細胞の発達や活性化に関係し、欧米に比べて日本の子どもの知能指数が高いのは、魚をよく食べる習慣にある、という学説を発表したのです。

アメリカ・カンザス大学の妊婦のDHA濃度測定の研究でも、「血中DHA濃度が高いほど生まれた乳児の注意力や記憶力が優れている」と実証されています。

DHAによって、脳の情報伝達がスムーズになるからです。

厚労省は、EPAとDHAの摂取を合わせて1日に1グラム以上をすすめています。鮭、鯖だと1切れ、鰯、秋刀魚は中1尾、刺身ならば鮪の中トロで2切れ、鯛は2〜3切れで十分にとれる量です。

「毎日1食は魚」が理想です。

雑魚ひとつまみ（10グラム）はEPA、DHA合わせて0・1グラム超程度しか含まれませんが、習慣化しやすい食材です。注意したいのは、EPAやDHAは魚を焼く、煮る場合は約2割減少し、揚げた場合だと6〜7割減と、調理によっていちじるしく損なわれてしまうことです。

魚はできるだけ、刺身で食べることをおすすめします。

魚には、人間の体ではつくれない9種類の必須アミノ酸がすべて含まれています。これらも脳の活動に重要な役割を果たし、また多種豊富なビタミンがさらにこの働きを活発にします。

子どもにかぎらず、人生の後半に入った世代にも魚は脳の若返り、ボケ防止として必須の食材なのです。

青魚

40歳からの
体に効く食材 ㉖

青魚

blue-skin fish

秋刀魚《さんま》　鯵《あじ》、鰯《いわし》、鯖《さば》、鰤《ぶり》も仲間！

主な栄養分

たんぱく質
カルシウム
鉄
EPA
DHA

最高の食べ合わせ
しそ

「青魚」のすごい効能

- 血液をサラサラにする
- ガンを防ぐ
- 脳を活性化する

美容・ダイエット――オリーブ油は女性の強い味方

オメガ9系を代表する油脂が、「オリーブ油《オイル》」です。

オリーブ油の成分の7～8割は、オレイン酸が占めています。オレイン酸には、**強力な抗酸化力**があり、しかも、ほかのオメガ系の油脂と違って**酸化しにくく熱に強い**という特徴を持ちます。

オレイン酸は血管の若さ維持・若返りに効力を発揮します。また、ダイエット、美容に必要な油脂でもあるのです。

オリーブ油には、抗酸化作用の強いポリフェノール（オレウロペイン）が豊富に含まれます。免疫力強化、抗菌・抗ウイルス効果に優れています。

ウイルスを殺すだけでなく、細菌やウイルスの侵入から細胞を守る働きがあります。そのほか、体内で脂肪細胞が増加するのを抑制する働きもあります。

このように、**オリーブ油は人生後半の女性の体を甦らせてくれる**のです。

オリーブ油でも香りの高いエクストラバージンオイルには、抗酸化作用が強いビタミンEが豊富です。生野菜サラダのドレッシング、小さじに1～2杯を生ジュースに垂らしたり、そのまま飲むなど生で使いたい食用油です。加熱に強いので、普通のオリーブ油は炒め物にも使えます。

風味づけに欠かせないゴマ油も、原料のゴマにあるゴマリグナンによって強力な抗酸化力を発揮します。

ゴマ油はオメガ6系に分類されますが、オレイン酸もリノール酸とほぼ同量含み、ビタミンEも豊富なこ

40歳からの
体に効く食材 ㉗

「オリーブオイル」のすごい効能

- 血管を保護する
- ＬＤＬコレステロールを減らす
- ＨＤＬコレステロールを増やす
- 血圧・血糖値を下げる
- 美肌・美髪をつくる
- 腸の運動を高めて便秘を解消

最高の食べ合わせ
トマト

とから、オリーブ油と同じような作用を持ちます。

ゴマ油の特徴的な効果に、発ガン抑制があります。女性に嬉しい効用として、**冷え性防止と肌の水分、油分、弾力を取り戻す美肌効果**が挙げられます。

ゴマ油はオメガ6系でも熱に強い食用油ですから、たまの揚げ物に使って風味を味わうのも食習慣に豊かさを加えます。

お酒は、「1週間の摂取量」に気をつけよう!

洋の東西を問わず、酒は人類の歴史とともに歩み、**文化の象徴**でもあります。また、古来「百薬の長」と健康への効用が謳われています。

赤ワインに含まれるポリフェノール(レスペラトロール)は動脈硬化を予防し、血圧を安定させます。

ビールは血流循環の改善や利尿の作用もあるほか、**胃や腸の消化吸収機能を改善する効果**があります。この点からも健康増進におおいに役立ってきました。

そもそもアルコールに胃腸運動を活発化する作用があります。そのうえ、炭酸ガスを含む弱酸性の**ビールは腸内細菌叢を正常化する**のです。

だから、ビールは便秘予防にも威力を発揮します。ビールの材料になるホップの香りや苦みにも、食欲を増進する健胃効果があります。

日本酒も、発酵の過程でできたさまざまな成分が滋養効果など健康に役立つことがわかっています。また、**酒粕はガン細胞を退治するＮＫ細胞を3倍以上も活性化**する効用があります。

ただ、アルコールには二面性があります。血液のめぐりをよくして体を温める半面、体に有害になる成分が含まれていることから大量の飲酒は毒となります。

大量の飲酒の習慣は血管系疾患のみならず、発ガンのリスクを格段に高めます。さらには、脳を萎縮させてボケのリスクも高めるのです。

1日2合、あるいは1週間に14合以内――。個人差はありますが、日本酒換算での男性の適量の目安です（女性は半分が目安）。

日本酒1合分はビールで中瓶1本分、ワインでワイングラス2杯分、ダブルのウイスキーで1杯分、焼酎だと200ミリリットル程度にあたります。

最近では、1週間の摂取総量を重視する傾向にあります。**1週間に14合以内であれば、悪影響はほとんどない**とされています。

アルコールは肝臓を傷め、代謝や解毒に支障をもたらします。週の摂取総量が14合を超えたときには、翌週、肝臓を休める「休肝日」を設ける必要があります。

私は血糖値のことを考えて、糖質がほとんど含まれない蒸留酒の焼酎やウイスキーのお湯割りを愛飲しています。

寝酒は、できれば控えてください。アルコールはアセトアルデヒドという毒性物質をつくりだします。

このアセトアルデヒドが交感神経を刺激して、誘眠ホルモンのメラトニンの分泌を抑制するのです。

「若さ＝血の若さ」——レバーで血液が若くなる！

血管も血液もたんぱく質をおもな材料にしていますが、ビタミン、ミネラルも重要な役割を果たしています。

女性を悩ます**貧血は、おもに赤血球の減少で起こります**。赤血球の生成にはビタミンB12、葉酸がかかわっています。主成分のヘモグロビンは、鉄を材料にします。

●ビタミンB12

レバー、秋刀魚、たらこ、いくら、牡蠣、ほたて、あさり、しじみなどの魚介類、納豆に含まれ、神経機能を正常に保つ働きもあります。野菜に偏った食事をする人は不足しがち。

●葉酸

レバー、鰻、ほうれん草、グリーンアスパラ、モロヘイヤ、枝豆、納豆、海苔などに含まれ、たんぱく質をつくるのにも役立ちます。野菜嫌いな人は不足しがち。

●鉄

レバー、あさり、はまぐり、ほうれん草、レーズン、プルーン、納豆、ひじき、海苔、ココアに多く、体内でのエネルギーづくりにも役立ちます。

血液づくりにもっとも欠かせない食材は、**豚、鶏、牛（重要度の順）のレバー**。低脂肪で高たんぱくであるだけでなく、血液づくりに必要なビタミン、ミネラルを含んでいます。

赤血球は、全身の細胞に酸素と栄養、ホルモンを届けます。

赤血球の数が少なくなると血流が滞り、酸素などは体の隅々までスムーズに行きわたらなくなります。体は疲れやすくなり、冷えの症状が出ることもあります。な

により も、**老化に加速度をつけてしまう**のです。

健康な血管・血液は、若さの源です。ほとんどの人は、血液のケアに注意を向けたことがないはずです。

しかし、若い体を維持し、あるいは取り戻すには、**まず若い血液づくりが肝心**だと言えましょう。

「骨年齢」が若くなる食べ方、食べ物

人生後半、いきいきと元気ですごすためには、骨粗鬆症予防に骨の強化をしていかなければなりません。

たんぱく質はもちろんのこと、カルシウム、マグネシウム、ビタミンC、そしてビタミンDは積極的に摂りたい栄養素です。

●カルシウム
雑魚、桜海老、納豆、青菜、切り干し大根、ひじき、ナッツ類、牛乳、ヨーグルトなどに含まれ、精神を安定させる働きもあります。

乳製品が嫌いな人、女性は不足しがちです。

●マグネシウム
玄米、真鰯の丸干し、あさり、はまぐり、青菜、ゴマ、ナッツ類、ひじき、削り昆布、乾燥若布《わかめ》、コーヒー、ココアに含まれ、心臓や血管の機能を正常に保つ作用もあります。

激しい運動をする人や、よくお酒を飲む人は不足しがち。

●ビタミンC
ブロッコリー、トマト、キャベツ、パプリカ、レモン、いちご、キウイ、オレンジ、じゃがいも、さつまいもに豊富。骨だけでなく皮膚や血管などの形成に必要なコラーゲンの吸収を助けます。メラニン色素の生成を抑える働きもあります。

激しい運動をする人、喫煙習慣のある人、歯茎からよく出血する人、しみ・そばかすのある人は補給を心がけましょう。

●ビタミンD

鮭、秋刀魚、鯖、しらす干し、干し椎茸、しめじ、舞茸、卵に多く含まれます。カルシウムの吸収を促進する効果があります。

女性の大半は不足しがち。


魚は、女性の大半が不足しているビタミンDを多く持っています。なかでも飛びぬけて豊富なのが鮭です。

ビタミンDは、骨の主要成分のカルシウムが体内に吸収されるのを助けます。骨は、たんぱく質のコラーゲン繊維が網状になった枠組みからできています。その隙間を埋めて骨を強化するのが、カルシウムです。

ビタミンDが不足すると、骨からカルシウムが溶けだしやすくなり、骨密度が低くなって骨粗鬆症を招きます。

近年、ビタミンDは骨の強化に役立つだけでなく、**脳梗塞やガンの発生率を減少**させ、健康長寿に欠かせない栄養素として注目されています。かぜの予防にも有効であることも明らかになっています。

40歳からは「たんぱく質の摂り方」を変えなさい

人生後半に入ると、太もも、臀部の筋肉の減少やたるみが気になりだします。筋肉の衰えを放っておくと、大げさでなく、将来、寝たきりになってしまいます。

筋肉はたんぱく質のかたまりで、**3種類の必須アミノ酸群のBCAAが主成分**。その代謝を助けるビタミンB_6を必要として、筋肉はつくられます。

●BCAA

肉、鮪の赤身、秋刀魚、納豆、高野豆腐、卵から摂取できます。運動時のエネルギー源として利用されます。

●ビタミンB_6

鶏、鮪、鰹、鮭、秋刀魚、鰯、にんにく、バナナに含まれ、神経の機能を正常にする作用もあります。肌荒れや口内炎になりやすい人は不足しがち。

血管、血液、骨、筋肉だけでなく、髪も皮膚も臓器も細胞も、それぞれを形づくっているのはたんぱく質です。

ただ、高たんぱくの食材は体によいと思っている人が多いせいか、摂りすぎる傾向にあります。

一般的に、**日本人はたんぱく質の消化力が低く、摂りすぎは腸内腐敗の大きな原因**になります。

また、骨をもろくする場合もあります。血液、唾液などの体液は中性に保たれるようになっていますが、たんぱく質を摂りすぎると酸性に傾きます。体は元に戻そうとアルカリ性の骨のカルシウムを使います。それで骨はもろくなり、骨密度を下げるのです。

肝臓、腎臓にも負担をかけます。

たんぱく質は、腸で毒素のアンモニアなどを発生させます。肝臓と腎臓がこの毒素を処理しますが、オーバーワークになって機能を弱めてしまい、健康障害につながっていくのです。

朝、起きたときにだるさを感じるようであれば、前夜の夕食の消化が就寝中にも行なわれ、体がきちんと休息できていないことが原因です。

夕食にはたんぱく質を摂る必要がありますが、できるだけ消化しやすい低脂肪のものを摂るようにします。

たんぱく質なら、肉も魚も大豆も同じです。夕食のたんぱく質はなるべく魚や大豆製品から摂るのが適しています。

「食物酵素」で老化に勝つ！

食が細くなる。人生の後半に入り、体の不調とともにそう自覚する人が少なくありません。これも、**代謝の低下を示す兆候**です。

体では消化酵素がつくられるのですが、加齢とともに分泌量が低下します。40代に入る前後、それが顕著に表れて「食が落ちた」と感じるようになります。

消化酵素は、自然治癒力や免疫力を高める働きを持つ代謝酵素と同じ材料（たんぱく質）からつくられます。

消化酵素をたっぷり必要とする食べ方、たとえば満腹になるまで食べていると、代謝酵素がその分つくられなくなります。すると、すぐにかぜをひくような弱い体、若さが失われた体になってしまうのです。

つまり、**消化酵素の量しだいで、代謝酵素の量が決まる**のです。

体内でつくられる消化酵素は、いわば有限の資源です。しかし、活性酸素の消去酵素と同じで、**足りなくなった分は、食べ物から補うことができます**。

生の肉、魚、野菜、果物、そして納豆などの発酵食品から得られる消化酵素を「**食物酵素**」と言います。

私がすすめたい食材には、魚の刺身、生の有機野菜、りんご、バナナ、パイナップル、キウイ、アボカド、納豆、みそ、漬け物、ヨーグルトなどの発酵食品が挙げられます。

食物酵素の働きは消化だけでなく、吸収もあります。たとえば、魚に含まれるたんぱく質は、そのままでは人間の体に吸収できません。そこで、食物酵素の働きで体に使えるようにつくり換えるのです。

食べ物は加熱するほど食物酵素を失い、消化に悪い食材に変わります。食物酵素は熱に弱い性質があり、60～70度で破壊されてしまいます。

みそ汁は火を止めてからみそを入れる。納豆はごはんが少し冷めてからかける。

これが、食物酵素を生かす食べ方です。

加齢にともない、生ものを避けがちになります。これはまったく逆で、健康寿命を延ばすには、生ものや発酵食品を意識して摂る必要があるのです。

魚の刺身を主菜にすれば、それだけで食物酵素が摂れます。低カロリーなうえに良質な脂（ＥＰＡ、ＤＨＡ）が加熱した場合より効率よく摂れます。

食物酵素の補給が十分できていれば、体は代謝酵素の量をつくりやすくなります。病気に強い体になって、健康寿命を延ばすことができるのです。

たんぱく質やビタミンなどそれぞれの栄養素も大事ですが、もうひとつ、**食物酵素も人生後半の体を支える重要な役割**を持っています。

体を支えるのは、食物の力です。人生後半、自分の生き方を見直す人もいるでしょう。この機に、あらためて食習慣も見直し、年代にあった食習慣に変えていきましょう。

40歳からの一食一食の質が、今後の人生の質を左右します。

本書は、本文庫のために書き下ろされたものです。

済陽高穂（わたよう・たかほ）
一九四五年宮崎県生まれ。三愛病院医学研究所所長、西台クリニック院長。元千葉大学医学部臨床教授。医学博士。千葉大学医学部卒業後、東京女子医科大学消化器病センターに入局。米国テキサス大学外科教室に留学（消化管ホルモンの研究）。帰国後、東京女子医科大学助教授、都立荏原病院外科部長、都立大塚病院副院長を経て現職。臨床医として執刀した手術は四〇〇〇例（その半数はガン）。独自に考案した「済陽式食事療法」で多くのガン患者を治癒に導いている。
　著書に、『今あるガン　3カ月でここまで治せる！』（三笠書房）『今日から始めるガンにならない体』（三笠書房《知的生きかた文庫》）『今あるガンが消えていく食事』（マキノ出版）など多数がある。

知的生きかた文庫

40歳《さい》からは食《た》べ方《かた》を変《か》えなさい！

著者　済陽高穂《わたようたかほ》
発行者　押鐘太陽
発行所　株式会社三笠書房
〒一〇二-〇〇七二　東京都千代田区飯田橋三-三-一
電話〇三-五二二六-五七三四〈営業部〉
　　〇三-五二二六-五七三一〈編集部〉
http://www.mikasashobo.co.jp
印刷　誠宏印刷
製本　若林製本工場

ISBN978-4-8379-8226-5 C0177

「知的生きかた文庫」の刊行にあたって

「人生、いかに生きるか」は、われわれにとって永遠の命題である。自分を大切にし、人間らしく生きよう、生きがいのある一生をおくろうとする者が、必ず心をくだく問題である。

小社はこれまで、古今東西の人生哲学の名著を数多く発掘、出版し、幸いにして好評を博してきた。創立以来五十余年の星霜を重ねることができたのも、一に読者の私どもへの厚い支援のたまものである。

このような無量の声援に対し、いよいよ出版人としての責務と使命を痛感し、さらに多くの読者の要望と期待にこたえられるよう、ここに「知的生きかた文庫」の発刊を決意するに至った。

わが国は自由主義国第二位の大国となり、経済の繁栄を謳歌する一方で、生活・文化は安易に流れる風潮にある。いま、個人の生きかた、生きかたの質が鋭く問われ、また真の生涯教育が大きく叫ばれるゆえんである。

そしてまさに、良識ある読者に励まされて生まれた「知的生きかた文庫」こそ、この時代の要求を全うできるものと自負する。

本文庫は、読者の教養・知的成長に資するとともに、ビジネスや日常生活の現場で自己実現できるよう、手助けするものである。そして、そのためのゆたかな情報と資料を提供し、読者とともに考え、現在から未来を生きる勇気・自信を培おうとするものである。また、日々の暮らしに添える一服の清涼剤として、読書本来の楽しみを充分に味わっていただけるものも用意した。

良心的な企画・編集を第一に、本文庫を読者とともにあたたかく、また厳しく育ててゆきたいと思う。そして、これからを真剣に生きる人々の心の殿堂として発展、大成することを期したい。

一九八四年十月一日

押鐘冨士雄

C50179

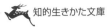

知的生きかた文庫

今日から始める ガンにならない体

済陽高穂

ガン治療の名医が教える「ガンにならない体」入門！「免疫力が高まる」食事から「快食・快眠・快便」のコツまで、済陽式は、何歳から始めても効果抜群！

疲れない体をつくる免疫力

安保徹

免疫学の世界的権威・安保徹先生が、「疲れない体」をつくる生活習慣をわかりやすく解説。ちょっとした工夫で、免疫力が高まり、「病気にならない体」が手に入る！

病気にならない体をつくる免疫力

安保徹

体にいいことは、気持ちいい！――体を「ポカポカに温める」、朝まで「グッスリ眠る」、1日1個「梅干しを食べる」などなど、「健康寿命」が延びる習慣が満載！

40代からの「太らない体」のつくり方

満尾正

「ポッコリお腹」の解消には激しい運動も厳しい食事制限も不要です！　若返りホルモン「DHEA」の分泌が盛んになれば誰でも「脂肪が燃えやすい体」に。その方法を一挙公開！

女40代からの「ずっと若い体」のつくり方

満尾正

「基礎代謝力」「ホルモン力」「免疫力」。ちょっとした習慣でこの三つの力を高めれば年齢なんて怖くない。あなたの中の「若返りの仕組み」が目覚める本！

C50212